Orlando Virginia Woolf

✳ P 27 à relire
248ette

— on peut être solitaire et être aimée...

Pourquoi être heureux
quand on peut être normal ?

Du même auteur

La Passion de Napoléon
Éditions Robert Laffont, 1989

Écrit sur le corps
Éditions Plon, 1993

Le Sexe des cerises
Éditions Plon, 1995

Art et mensonges
Éditions Plon, 1998

Powerbook
Éditions de l'Olivier, 2002

Les oranges ne sont pas les seuls fruits
Éditions des Femmes, 2003
Éditions de l'Olivier, 2012

Garder la flamme
Éditions Melville, 2006

JEANETTE WINTERSON

Pourquoi être heureux quand on peut être normal ?

traduit de l'anglais
par Céline Leroy

ÉDITIONS DE L'OLIVIER

L'édition originale de cet ouvrage
a paru chez Jonathan Cape en 2011,
sous le titre : *Why Be Happy When You Could Be Normal ?*

ISBN 978.2.87929.870.2

À mes trois mères :
Constance Winterson
Ruth Rendell
Ann S.

1

Le mauvais berceau

Quand ma mère se fâchait contre moi, ce qui lui arrivait souvent, elle disait : « Le Diable nous a dirigés vers le mauvais berceau. »

L'image de Satan prenant congé de la guerre froide et du maccarthysme le temps de faire un crochet par Manchester en 1960 – but de la visite : duper Mrs Winterson – est théâtralement truculente. Ma mère elle-même était une dépressive truculente ; une femme qui cachait un revolver dans le tiroir à chiffons et les balles dans une boîte de produit nettoyant Pledge. Une femme qui passait ses nuits à faire des gâteaux pour ne pas avoir à dormir dans le même lit que mon père. Une femme qui avait une descente d'organes, une thyroïde déficiente, un cœur hypertrophié, une jambe ulcéreuse jamais guérie, et deux dentiers – un mat pour tous les jours et un perlé pour les « grands jours ».

J'ignore pourquoi elle n'avait/ne pouvait pas avoir d'enfant. Je sais qu'elle m'a adoptée parce qu'elle voulait une amie (elle n'en avait aucune), et parce que j'étais comme une fusée éclairante lancée à l'adresse du monde – une façon de dire qu'elle était là –, une sorte de croix marquant sa présence sur la carte.

Elle détestait son anonymat, et comme tous les enfants, adoptés ou non, j'ai dû vivre une partie de ce qu'elle avait rêvé pour sa propre existence. Nous faisons ce genre de choses pour nos parents – ils ne nous laissent pas vraiment le choix.

Elle était encore en vie quand mon premier roman, *Les oranges ne sont pas les seuls fruits*, a été publié en 1985. Il est en partie autobiographique dans le sens où il raconte l'histoire d'une petite fille adoptée par un couple de pentecôtistes. On la destine à être missionnaire. Au lieu de cela, elle tombe amoureuse d'une fille. Catastrophe. La jeune fille quitte la maison, se débrouille pour entrer à Oxford, puis revient chez elle où elle découvre que sa mère s'est bricolé une CB pour diffuser les Évangiles aux païens. La mère a choisi un nom de code à rallonge – « Lumière Bienveillante ».

Le roman commence par : « *Comme la plupart des gens, j'ai longtemps vécu avec ma mère et mon père. Mon père aimait regarder les combats de catch, ma mère, elle, aimait catcher.* »

J'ai lutté à mains nues quasiment toute ma vie. Dans ce genre de combat, le vainqueur est celui qui frappe le plus fort. Ayant été battue dans mon enfance, j'ai appris très tôt à ne pas pleurer. Si je passais une nuit enfermée dehors, je m'asseyais sur le pas de la porte jusqu'à l'arrivée du laitier, je buvais les deux pintes qu'il nous livrait, abandonnais là les bouteilles vides pour faire enrager ma mère et partais à l'école.

Nous allions partout à pied. Nous n'avions pas assez d'argent pour acheter une voiture ou nous payer le bus. À moi seule, je parcourais en moyenne huit kilomètres par jour : trois pour aller à l'école et en revenir ; cinq autres pour l'église.

Nous nous rendions à l'église tous les jours sauf le jeudi.

J'ai raconté un certain nombre de ces choses dans *Les*

Oranges et quand le livre est sorti, ma mère m'a envoyé un mot furieux rédigé d'une écriture ronde impeccable pour exiger un rendez-vous téléphonique.

Cela faisait plusieurs années que nous ne nous étions pas vues. J'avais terminé mes études à Oxford, je vivotais et j'avais écrit *Les Oranges* très jeune – j'avais vingt-cinq ans à la publication.

Je suis entrée dans une cabine téléphonique – je n'avais pas le téléphone. Elle est entrée dans une cabine téléphonique – elle n'avait pas le téléphone.

J'ai composé le code ainsi que le numéro d'Accrington comme indiqué, et elle était là – qui a besoin de Skype ? Je la voyais à travers sa voix, sa silhouette se matérialisait devant moi pendant qu'elle parlait.

C'était une femme corpulente, plutôt grande, qui devait peser autour de cent vingt kilos. Bas de contention, sandales plates, robe en crêpe polyester et foulard en nylon. Elle s'était sans doute poudré le visage (toujours avoir l'air bien comme il faut), mais en faisant l'impasse sur le rouge à lèvres (vulgaire).

Elle remplissait la cabine téléphonique. Elle n'était pas à la bonne échelle, plus vaste que nature. Elle rappelait ces contes de fées où les proportions sont approximatives et instables. Elle grandissait. Elle s'élargissait. Ce n'est que plus tard, beaucoup plus tard, trop tard, que j'ai compris combien elle se sentait petite. Le bébé que personne ne voulait prendre dans ses bras. L'enfant qu'elle n'avait pas porté, toujours en elle.

Mais ce jour-là, au sommet de son indignation, elle était gigantesque. « C'est la première fois que je suis obligée de commander un livre sous un faux nom », m'a-t-elle dit.

J'ai tenté d'expliquer mon projet. Je suis un écrivain ambitieux – je ne vois pas l'intérêt d'être quoi que ce soit, ou plutôt de devenir quoi que ce soit, si l'on n'a pas l'ambition nécessaire pour y parvenir. 1985 ne marquait pas l'année de mes mémoires – et de toute façon, ce n'était pas ce que j'avais écrit. J'essayais d'échapper à l'idée reçue selon laquelle les femmes écrivent toujours sur « l'expérience » – dans les limites de ce qu'elles connaissent – contrairement aux hommes qui écrivent sur ce qui est grand et audacieux – le grand schéma des choses, l'expérimentation avec la forme. Henry James a mal interprété les propos de Jane Austen lorsqu'elle a déclaré écrire sur dix centimètres d'ivoire – comprendre d'infimes miniatures observatrices. On a dit à peu près la même chose d'Emily Dickinson et de Virginia Woolf. Ces commentaires me mettaient hors de moi. Après tout, pourquoi ne pourrions-nous pas réconcilier expérience *et* expérimentation ? Pourquoi ne pourrions-nous pas réconcilier observation et imagination ? Pourquoi une femme devrait-elle être cantonnée à quoi que ce soit ou par qui que ce soit ? Pourquoi une femme ne devrait-elle pas avoir d'ambition littéraire ? D'ambition personnelle ?

Mrs Winterson ne voulait pas en entendre parler. Elle savait très bien que les écrivains étaient des bohèmes obsédés sexuels qui ne respectaient rien et ne travaillaient pas. Les livres avaient été bannis de la maison – j'expliquerai pourquoi plus tard –, alors que j'en écrive un, que je le publie et que je remporte un prix… et que je me retrouve dans cette cabine téléphonique à la sermonner sur la littérature, à polémiquer sur le féminisme…

Bip-bip – veuillez insérer des pièces dans l'appareil – et tandis que sa voix afflue et reflue comme la mer, je me dis : « Pourquoi n'es-tu pas fière de moi ? »

Bip-bip – veuillez insérer des pièces dans l'appareil – et me voilà de nouveau enfermée dehors, assise sur le pas de la porte. Il fait vraiment froid, j'ai un journal sous les fesses et je me recroqueville dans mon duffle-coat.

Une femme passe par là, je la connais. Elle me donne un sachet de chips. Elle sait comment est ma mère.

Chez nous, la lumière est allumée. Comme papa travaille de nuit, elle peut aller se coucher, mais elle ne dormira pas. Elle lira la Bible jusqu'au matin et quand papa sera de retour, il me fera entrer, ne dira rien, et elle non plus ne dira rien et nous ferons comme s'il était normal de laisser son enfant dehors toute la nuit, normal de ne jamais dormir avec son mari. Normal d'avoir deux dentiers et un revolver dans le tiroir à chiffons…

Nous sommes toujours au téléphone dans la cabine. Elle dit que je dois mon succès au Diable, le gardien du mauvais berceau. Elle me reproche d'avoir utilisé mon nom dans le roman – si c'est une histoire inventée, pourquoi la protagoniste se prénomme-t-elle Jeanette ?

Pourquoi ?

Je ne me souviens pas d'un temps où je n'aie dû confronter ma version à la sienne. Cela a été mon mode de survie depuis le début. Les enfants adoptifs s'inventent parce qu'ils n'ont pas d'autre solution ; leur existence est marquée dès le départ par une absence, un vide, un point d'interrogation. Un pan déterminant de leur histoire disparaît, aussi violemment que si une bombe avait été logée au creux de ce ventre bombé.

Le bébé est expulsé dans un monde inconnu qui ne devient compréhensible qu'à travers une histoire – bien sûr, nous vivons tous ainsi, c'est l'histoire de notre vie, à la différence près que l'adoption vous débarque au milieu d'une histoire qui a commencé sans vous. Imaginez un livre dont il manquerait les premières pages. Imaginez arriver au théâtre après le lever du rideau. La sensation de manque ne vous laisse pas un instant de répit, jamais – elle ne peut pas, ne devrait pas vous lâcher, cette sensation, puisqu'il manque *effectivement* quelque chose.

Cela n'est pas négatif en soi. Cette part manquante, ce passé manquant, peuvent constituer une ouverture plutôt qu'un vide. Ils peuvent devenir une entrée autant qu'une sortie. Ils sont une preuve fossilisée, la marque d'une autre vie, et même si cette vie vous sera à jamais inaccessible, vous pouvez suivre sa trace du bout des doigts, à l'endroit qu'elle aurait pu occuper, et du bout des doigts, apprendre une nouvelle forme de braille.

Les marques sont là, des zébrures saillantes. Lisez-les. Lisez ces blessures. Récrivez-les. Récrivez ces blessures.

C'est pour cette raison que je suis écrivain – je ne dis pas que j'ai « décidé » de l'être ou que je le suis « devenue ». Ce n'était pas un acte volontaire ni même un choix conscient. Pour éviter la trame serrée du récit de Mrs Winterson, je devais être capable de faire mon propre récit. Mi-réalité mi-fiction, voilà les ingrédients qui composent une vie. Et comme dans l'espionnage, il s'agit toujours d'une légende, d'une couverture. J'ai rédigé mon issue de secours.

« Mais ce n'est pas la vérité... », a-t-elle dit.

La vérité ? Nous parlons d'une femme qui prenait l'activité frénétique des souris dans la cuisine pour des ectoplasmes.

Il était une fois une maison mitoyenne à Accrington, dans le Lancashire – nous appelions ces constructions des deux-en-haut deux-en-bas : deux pièces au rez-de-chaussée, deux pièces à l'étage. Nous avons vécu à trois dans cette demeure pendant seize ans. J'en ai donné ma version – fidèle et inventée, exacte et faussée par la mémoire, par épisodes non chronologiques. Je me suis racontée sous les traits de l'héroïne comme dans n'importe quel récit de naufrage. Il s'agissait bien d'un naufrage qui m'a fait échouer sur les rives du genre humain, d'un genre trouble pas toujours très humain.

Je crois que ce qui m'attriste le plus, dans cette légende que sont *Les Oranges*, c'est que j'ai écrit une histoire avec laquelle je pouvais vivre. L'autre était trop douloureuse. Je n'y aurais pas survécu.

On me demande souvent, à la manière des QCM, ce qui est « vrai » et ce qui est « faux » dans *Les Oranges*. Ai-je travaillé dans un funérarium ? Ai-je conduit une camionnette de glacier ? Érigions-nous un chapiteau évangélique ? Mrs Winterson a-t-elle construit sa propre CB ? Se servait-elle vraiment d'un lance-pierres pour assommer les matous ?

Je suis incapable de répondre à ces questions. Je peux dire qu'il y a dans *Les Oranges* un personnage surnommé Elsie-les-Miracles qui s'occupe parfois de la petite Jeanette et sert de rempart poreux contre Mère, la force-née.

J'ai créé ce personnage parce que je ne pouvais pas supporter qu'elle ne soit pas dans l'histoire. Je l'ai créé parce que j'aurais souhaité que les choses se soient passées ainsi. Les enfants solitaires s'inventent des amis imaginaires.

Il n'y a pas eu d'Elsie. Il n'y a eu personne comme Elsie. La vie était bien plus solitaire que ça.

Pendant presque toute ma scolarité, j'ai passé les récréations perchée sur les balustrades devant la grille de l'école. Je n'étais pas populaire ni même gentille ; trop irascible, trop enragée, trop passionnée, trop étrange. Ma fréquentation de l'église n'encourageait pas les amitiés et l'environnement scolaire révélait immanquablement les marginaux. Broder L'ÉTÉ EST FINI ET NOUS NE SOMMES PAS SAUVÉS sur mon sac de gym m'avait rendue facile à repérer.

Mais même quand je parvenais à nouer des amitiés, je m'arrangeais pour que les choses tournent au vinaigre...

Si une fille m'appréciait, je guettais un signe de faiblesse chez elle et lui disais que je ne voulais plus être son amie. J'observais la confusion et le trouble. Les larmes. Puis je prenais mes jambes à mon cou, triomphant de maîtriser ainsi la situation, et très vite, le triomphe et la maîtrise s'estompaient, et alors je pleurais toutes les larmes de mon corps parce que je m'étais de nouveau exclue, j'avais une fois de plus échoué sur le pas de la porte où je ne voulais pourtant pas être.

Être adopté, c'est être à l'extérieur. Vous incarnez celui ou celle qui n'a de place nulle part. Vous l'incarnez en essayant de faire subir aux autres ce que vous avez subi. D'où l'impossibilité de croire que quelqu'un puisse vous aimer pour ce que vous êtes.

Je n'ai jamais cru que mes parents m'aimaient. J'ai essayé de les aimer mais ça n'a pas marché. Il m'a fallu beaucoup de temps pour apprendre à aimer – à donner autant qu'à recevoir. J'ai écrit sur l'amour de manière obsessionnelle, je l'ai disséqué et je l'ai considéré/le considère comme la valeur suprême.

Au début, j'aimais Dieu, bien sûr, et Dieu m'aimait. Ce qui n'était pas rien. J'aimais aussi les animaux et la nature. Et la poésie. Le problème, c'était les gens. Comment aimer une autre personne ? Comment s'assurer qu'une autre personne vous aime ?

Je n'en avais aucune idée.

J'ai pensé que l'amour était la perte.

Pourquoi l'amour se mesure-t-il à l'étendue de la perte ?

Ceci est la première phrase d'un de mes romans – *Écrit sur le corps* (1992). Je traquais l'amour, le piégeais, le perdais, le désirais…

La vérité est une chose très complexe pour tout un chacun. Pour un écrivain, ce que l'on retranche en dit autant que ce que l'on intègre. Que trouve-t-on par-delà les marges du texte ? Le photographe cadre son sujet ; les écrivains cadrent leur univers.

Mrs Winterson m'a reproché ce que j'avais intégré alors que j'avais plutôt l'impression que le jumeau muet de l'histoire était ce que j'avais retranché. Nous taisons tant de ces choses trop douloureuses. Nous faisons le vœu que ce que nous pouvons raconter apaisera le reste, l'atténuera d'une façon ou d'une autre. Les histoires sont là pour compenser face à un monde déloyal, injuste, incompréhensible, hors de contrôle.

Raconter une histoire permet d'exercer un contrôle tout en laissant de l'espace, une ouverture. C'est une version, mais qui n'est jamais définitive. On se prend à espérer que les silences seront entendus par quelqu'un d'autre, pour que l'histoire perdure, soit de nouveau racontée.

En écrivant, on offre le silence autant que l'histoire. Les mots sont la part du silence qui peut être exprimée.

Mrs Winterson aurait préféré que je garde le silence.

Vous vous souvenez de l'histoire de Philomèle à qui son violeur arrache la langue pour qu'elle ne puisse jamais raconter ce qui lui est arrivé ?

Je crois à la fiction et au pouvoir des histoires parce qu'ils nous donnent la possibilité de parler de nouvelles langues. De ne pas être réduits au silence. Nous découvrons tous qu'en cas de traumatisme profond, nous hésitons, nous bégayons ; notre parole est entrecoupée de longues pauses. Le traumatisme nous reste en travers de la gorge. Mais par le langage des autres, nous retrouvons le nôtre. Nous pouvons nous tourner vers la poésie. Ouvrir un livre. Quelqu'un a traversé cette épreuve pour nous et s'est immergé profondément dans les mots.

J'ai eu besoin des mots parce que les familles malheureuses sont des conspirations du silence. On ne pardonne jamais à celui qui brise l'omertà. Lui ou elle doit apprendre à se pardonner.

Dieu est pardon – du moins c'est ce que raconte cette histoire en particulier, mais chez nous, Dieu était celui de l'Ancien Testament et il n'y avait pas de pardon sans une grande dose de sacrifice. Mrs Winterson était malheureuse alors nous devions être malheureux avec elle. Elle attendait l'Apocalypse.

Sa chanson préférée, « Dieu les a effacés », était censée parler de péchés, mais s'adressait en fait à tous ceux qui l'avaient toujours insupportée, à savoir tout le monde. Elle n'aimait tout simplement personne et n'aimait tout simplement pas la vie. La vie était un fardeau qu'il lui faudrait porter jusqu'à la tombe où elle pourrait enfin s'en débarrasser. La vie était une vallée de larmes. La vie était une expérience pré-*mortem*.

Tous les jours, Mrs Winterson adressait à Dieu cette prière : « Seigneur, laisse-moi mourir. » Ce qui était dur à entendre pour mon père et moi.

Sa propre mère était une femme distinguée qui avait épousé un séduisant voyou à qui elle avait donné tout son argent, qu'il avait ensuite dépensé en femmes. Entre mes trois et cinq ans, nous avons dû vivre avec mon grand-père pour que Mrs Winterson puisse s'occuper de sa mère qui était en train de mourir d'un cancer de la gorge.

Mrs W avait beau être très croyante, elle croyait aussi aux esprits, et cela la mettait dans tous ses états que la petite amie de papy, en plus d'être une barmaid vieillissante à la crinière peroxydée, soit médium et organise ses séances dans la salle de séjour familiale.

Après ces séances, ma mère se plaignait que la maison grouillait d'hommes en uniforme du temps de la guerre. Lorsque j'allais à la cuisine pour prendre des sandwichs au corned-beef, on m'ordonnait d'attendre que les morts soient partis pour manger. Cela pouvait prendre des heures, ce qui n'était pas facile à vivre pour une petite fille de quatre ans.

Alors je sortais faire les cent pas dans la rue et je demandais à manger aux passants. Mrs Winterson venait me chercher et c'est à cette occasion que j'ai entendu pour la première fois la sombre histoire du Diable et du berceau...

À côté de mon berceau se trouvait celui d'un petit garçon prénommé Paul. Il a fini par devenir mon frère fantôme puisque sa sainte petite personne était convoquée chaque fois que je n'étais pas sage. Paul n'aurait jamais fait tomber sa poupée flambant neuve dans l'étang (nous n'avons pas creusé la possibilité surréaliste que Paul ait pu recevoir une poupée en cadeau...). Paul n'aurait pas rempli de tomates sa housse à pyjama en forme de caniche pour pouvoir pratiquer une opération de l'abdomen avec bouillie simili-sanguignolente. Paul n'aurait pas caché le masque à gaz de papy (pour une raison inconnue papy avait gardé son masque à gaz de la guerre et je l'adorais). Paul ne serait pas allé à une jolie fête d'anniversaire à laquelle il n'était pas invité en portant le masque à gaz de papy.

S'ils avaient pris Paul plutôt que moi, tout aurait été différent, et mieux. J'étais censée jouer le rôle de l'amie... comme celle que Mrs W avait été pour sa mère.

Mais un jour, sa mère est morte et elle s'est enfermée dans son chagrin. De mon côté, je me suis enfermée dans le garde-manger parce que j'avais appris à utiliser la petite clé qui ouvrait les boîtes de corned-beef.

J'ai un souvenir – vrai ou faux ?

Le souvenir est entouré de roses, ce qui est étrange parce que c'est un souvenir violent et pénible, mais mon grand-père avait la main verte et adorait tout particulièrement les roses. J'aimais rester avec lui, pendant qu'il vaporisait de l'eau sur les fleurs à l'aide d'une burette à piston en cuivre rutilant, ses manches de chemises roulées sous un gilet en tricot. Il m'aimait à sa façon singulière et détestait ma mère autant qu'elle le haïssait – non pas avec colère, mais avec un ressentiment docile et toxique.

Je porte mon costume préféré – un costume de cow-boy et un chapeau à franges. Mon petit corps est harnaché de chaque côté avec des colts à amorce.

Une femme se présente dans le jardin et papy me dit d'aller chercher ma mère à l'intérieur qui est occupée à faire sa pile habituelle de sandwichs.

Je me précipite dans la maison – Mrs Winterson retire son tablier et va répondre à la porte.

Tapie au fond de l'entrée, j'épie la scène. Les deux femmes se disputent, une altercation terrible que je n'arrive pas à comprendre, quelque chose de féroce et d'effrayant, comme une peur animale. Mrs Winterson claque la porte et s'y adosse un instant. Je sors de ma cachette à pas feutrés. Elle se tourne. Je me tiens devant elle dans mon costume de cow-boy.

« Est-ce que c'était ma maman ? »

Mrs Winterson me frappe et la force du coup me fait tomber à la renverse. Puis elle monte les escaliers quatre à quatre.

Je vais dans le jardin. Papy vaporise les roses. Il ne fait pas attention à moi. Il n'y a personne ici.

2

Mon conseil à tous : venez au monde

Je suis née à Manchester en 1959. C'était un bon endroit pour venir au monde.

Manchester est située au sud du nord de l'Angleterre.

L'esprit des lieux renferme une contradiction – l'imbrication nord-sud – qui la rend sauvage, provinciale et pourtant connectée, ouverte sur le monde.

Manchester a été la première ville industrielle au monde ; ses filatures et ses manufactures l'ont transformée autant qu'elles ont transformé le destin de la Grande-Bretagne. Parcourue de canaux, Manchester possédait un accès facile au grand port de Liverpool et des lignes ferroviaires qui transportaient les penseurs et les hommes d'action jusqu'à Londres. Son influence s'est étendue à la planète.

Manchester était un creuset. Elle était radicale – Marx et Engels y ont vécu. Elle était répressive – voir les massacres de Peterloo et les Corn Laws. Manchester produisait des richesses qui dépassaient les rêves les plus fous et cousait le tissu humain de désespoir et d'avilissement. Elle était utilitariste en ce sens que tout devait passer au tamis du « Est-ce que l'idée fonctionne ? » Elle était utopiste – son quakerisme, son féminisme, son mouvement pour l'abolition de l'esclavage, son socialisme, son communisme.

L'alchimie et la géographie qui constituent Manchester ne

peuvent être démêlées. Ce qu'elle est, où elle est située...
bien avant que les Romains n'y érigent un fort en 79 après
J.-C., les Celtes y vouaient un culte à la déesse de la rivière
Medlock. On l'appelait Mam-ceaster – Mam désignant la
mère, le sein, la force vitale... l'énergie.

Au sud de Manchester se déroule la plaine du Cheshire.
Les installations humaines recensées dans le Cheshire comptent
parmi les toutes premières des îles Britanniques. Il y avait des
villages dans cette région, ainsi que des routes étranges mais
directes vers ce qui deviendra Liverpool le long du fleuve Mer-
sey, large et profond.

Au nord et à l'est de Manchester s'élèvent les Pennines
– la chaîne de petites montagnes sauvage et inhospitalière qui
traverse le nord de l'Angleterre, où les habitations humaines
étaient rares et isolées, où hommes et femmes vivaient des
vies solitaires et souvent fugitives. La douce plaine du Cheshire, civilisée et peuplée, les Pennines du Lancashire, rudes
et touffues, le lieu de la menace, le lieu de la fuite.

Jusqu'à ce que les frontières soient redessinées, Manchester était à cheval sur le Lancashire et le Cheshire – ce qui
faisait d'elle une ville double, enracinée dans une énergie
insatiable et pleine de contradictions.

L'essor du textile au début du dix-neuvième siècle a
englouti les villages environnants et les hameaux satellites
dans une vaste machine très lucrative. Jusqu'à la Première
Guerre mondiale, soixante-cinq pour cent de la production
mondiale de coton étaient transformés à Manchester. On la
surnommait Cotonopolis.

Imaginez-la – les gigantesques usines qui fonctionnaient
à la vapeur, éclairées au gaz, et jetées entre elles, les rangées

de maisons ouvrières adossées les unes aux autres. La crasse, la fumée, la puanteur de la teinture et de l'ammoniaque, du soufre et du charbon. L'argent, le travail qui continue de nuit comme de jour, le bruit assourdissant des filatures, des trains, des trams, des chariots sur les pavés, de l'activité humaine grouillante, incessante, un enfer du Nibelheim, et le labeur triomphal de la force ouvrière et de la détermination.

Tous ceux qui ont connu Manchester ont été admiratifs autant que consternés. Charles Dickens a fait d'elle le soubassement de son roman *Les Temps difficiles* ; on y vivait les moments les pires mais aussi les meilleurs – tout ce que la machine pouvait accomplir s'accompagnait d'un coût humain terrifiant.

Hommes et femmes, mal fagotés, épuisés, ivres et malades, travaillaient par tranches de douze heures six jours par semaine, devenaient sourds, s'abîmaient les poumons, ne voyaient pas la lumière du jour, envoyaient leurs enfants ramper dans le vacarme terrible des filatures pour ramasser les peluches, balayer, perdre des mains, des bras, des jambes, des petits enfants, des enfants faibles, sans instruction et qui souvent n'étaient pas désirés, des femmes qui, en plus de travailler aussi dur que les hommes, portaient le fardeau de la maison à entretenir.

« Les rues inégales tout en bosses, en partie sans pavés et sans caniveaux ; partout, une quantité considérable d'immondices, de détritus et de boue nauséabonde entre les flaques stagnantes ; l'atmosphère est empestée par leurs émanations, assombrie et alourdie par les fumées d'une douzaine de cheminées d'usines ; une foule d'enfants et de femmes en haillons rôdent en ces lieux, aussi sales que les porcs qui se prélassent sur les tas de cendres et dans les flaques. »

Friedrich Engels, *La Situation de la classe laborieuse en Angleterre* (1844)

L'âpreté de la vie à Manchester, où rien ne se dérobait à la vue des autres, où les succès et les humiliations de cette nouvelle réalité incontrôlable s'étalaient partout, cette âpreté a fait basculer la ville dans un radicalisme qui, sur le long terme, est devenu plus important que son commerce du coton.

Manchester était dans l'*action*. La famille Pankhurst en a eu assez de la parlote sans le droit de vote, et en 1903, elle est entrée dans le militantisme en créant l'Union féminine sociale et politique.

Le premier Congrès des syndicats s'est tenu en 1868 à Manchester. Ce qu'on y réclamait c'était le changement immédiat pas un débat sur le changement.

Vingt ans plus tôt, en 1848, Karl Marx avait publié le *Manifeste du Parti communiste* – dont une grande partie avait été écrite en s'inspirant de son séjour à Manchester avec son ami Friedrich Engels. Ces hommes étaient des théoriciens convertis en activistes après avoir vécu dans une ville tout à la frénésie de l'action et qui n'avait pas de temps à consacrer à la réflexion – et Marx voulait transformer cette énergie irrépressible de la fabrication en quelque chose de positif...

Le séjour d'Engels à Manchester où il a travaillé pour l'entreprise de son père, lui a fait découvrir la dure réalité de la vie ouvrière. *La Situation de la classe laborieuse en Angleterre* est toujours d'actualité – un compte rendu effrayant et bouleversant des effets de la révolution industrielle sur le commun des mortels – sur ce qui arrive quand « les gens ne se considèrent réciproquement que comme des sujets utilisables ».

Quoi qu'en disent les experts en mondialisation, l'endroit où nous venons au monde – l'environnement dans lequel nous venons au monde, le lieu, l'histoire du lieu, la façon dont cette histoire s'accouple à la nôtre – laisse sa marque sur ce que nous sommes. Ma mère biologique était opératrice sur machine dans une usine. Mon père adoptif a été cantonnier, puis il a fait les trois huit à la centrale électrique où il pelletait du charbon. Il travaillait dix heures par jour, faisait des heures supplémentaires quand il le pouvait, économisait le prix du bus en parcourant près de vingt kilomètres aller-retour et ne gagnait jamais assez pour se permettre d'acheter de la viande plus de deux fois par semaine ou pour se payer des vacances plus exotiques qu'une semaine par an à la mer.

Il n'était ni mieux ni moins bien loti que la plupart des gens que nous connaissions. Nous étions la classe laborieuse. Nous étions la marée humaine à l'entrée de l'usine.

Je ne voulais pas faire partie de la masse grouillante des classes laborieuses. Je voulais travailler, mais pas comme lui. Je ne voulais pas disparaître. Je ne voulais pas vivre et mourir dans le même endroit avec tout juste une semaine à la mer entre les deux. Je rêvais de m'enfuir – mais le plus terrible avec l'industrialisation, c'est qu'elle rend la fuite nécessaire. Dans un système qui génère des masses, l'individualisme est la seule issue. Cependant, qu'advient-il de la communauté – de la société, dans un tel système ?

Conformément à l'esprit de son ami Ronald Reagan, Margaret Thatcher, alors Premier ministre, a célébré la décennie du moi qu'ont été les années 80 en déclarant : « Ce qu'on appelle société n'existe pas... »

Dans ma jeunesse, je me moquais bien de tout cela – de toute façon, je ne comprenais pas la situation.

Je voulais seulement partir.

Ma mère biologique, m'avait-on dit, était une petite créature rougeaude sortie des filatures du Lancashire, qui à dix-sept ans avait accouché de moi comme une chatte met bas.

Elle était originaire de Blakely, le village où la reine Victoria avait fait confectionner sa robe de mariage, même si à la naissance de ma mère puis à la mienne, Blakely n'avait plus rien d'un village. La campagne avait été intégrée de force à la ville – c'est l'histoire de l'industrialisation et elle est pleine de désespoir, d'excitation, de brutalité et de poésie, et je porte en moi toutes ces choses.

À ma naissance, les filatures avaient déjà fermé mais il restait les alignements bas de maisons mitoyennes en pierre ou en brique, chapeautées de toits d'ardoise en pente douce. Grâce à l'ardoise, vous pouvez réduire la pente jusqu'à trente-trois degrés – avec les lauses, en revanche, il vous faut au moins entre quarante-cinq et cinquante-quatre degrés. L'apparence d'un lieu doit tout aux matériaux disponibles sur place. Des toits plus pentus en pierre font que l'eau coule plus lentement parce qu'elle est ralentie par les aspérités de la pierre. L'ardoise est lisse et plate, et si les toits sont trop pentus, l'eau tombe en cascade sur les gouttières. La faible inclinaison réduit la vitesse d'écoulement.

Ce paysage typiquement gris, sans relief ni charme du Nord industriel est d'une efficacité qui refuse le gâchis et comme l'industrie, les maisons étaient bâties pour tenir. On s'adapte, on travaille dur, on évite de chercher la beauté ou le rêve. On ne construit pas pour la vue. Les sols en dalles épaisses, les petites chambres minables, les arrière-cours lugubres.

Si vous grimpez au sommet de la maison, vous ne verrez que les tuyaux trapus des cheminées communes crachant du charbon dans la brume si épaisse par endroits, qu'elle en occulte le ciel.

Toutefois...

Il subsiste un lieu où rêver : les Pennines du Lancashire. Basses, au poitrail puissant, massives, dures, la crête des collines toujours visible comme un observateur brusque qui aime quelque chose qu'il ne peut défendre, mais reste quand même, voûté au-dessus de la laideur créée par l'humanité. Il reste, abîmé, couvert de cicatrices, mais il reste.

Si vous empruntez la M62 de Manchester en direction d'Accrington où j'ai grandi, vous verrez les Pennines, dont l'apparition soudaine et le silence vous prendront par surprise. C'est un paysage de peu de mots, taciturne, réticent. Il n'a pas la beauté évidente.

Mais il est beau.

J'avais plus de six semaines mais moins de six mois quand on est venu me chercher à Manchester pour m'emmener à

Accrington. Tout était terminé entre la femme dont j'étais le bébé et moi.

Elle était partie. J'étais partie.

J'étais adoptée.

Le 21 janvier 1960, John William Winterson, ouvrier, et Constance Winterson, employée de bureau, ont trouvé le bébé qu'ils pensaient vouloir et l'ont emmené chez eux, au 200 Water Street, Accrington, Lancashire.

Ils avaient acheté la maison pour deux cents livres en 1947.

1947, l'hiver le plus froid qu'ait connu la Grande-Bretagne au vingtième siècle, avec des congères aussi hautes que le piano droit que mes parents poussaient dans leur nouvelle demeure.

1947, la guerre terminée, mon père démobilisé qui se débrouillait au mieux, s'efforçait de gagner sa vie et sa femme qui jetait son alliance dans la gouttière et refusait tout rapport sexuel.

Je ne sais pas et ne saurai jamais si elle ne pouvait pas avoir d'enfants ou si elle ne voulait pas faire le nécessaire pour en avoir.

Je sais qu'avant d'avoir trouvé Jésus, tous les deux aimaient bien boire et fumaient. En revanche, je ne pense pas que ma mère ait été dépressive à cette époque. Après la croisade sous chapiteau lors de laquelle ils sont devenus des chrétiens évangélistes pentecôtistes, ils ont arrêté de boire – sauf au nouvel an où ils s'autorisaient une goutte de leur liqueur de cerise – et mon père a remplacé ses cigarettes Woodbine par des Polo menthe. Ma mère a continué de fumer parce qu'elle prétendait que cela lui évitait de grossir. Sa tabagie devait malgré tout rester secrète et elle gardait un désodorisant qu'elle présentait comme un tue-mouches dans son sac à main.

Personne ne semblait étonné de voir cette femme se promener avec du tue-mouches dans son sac à main.

Elle était persuadée que Dieu lui trouverait un enfant, et j'imagine que si Dieu fournit le bébé, alors on peut rayer la sexualité de la liste. Je ne sais pas ce qu'en pensait papa. Mrs Winterson disait toujours : « Il n'est pas comme les autres hommes... »

Tous les vendredis, il lui remettait sa paie et elle lui donnait assez de monnaie pour qu'il s'achète trois paquets de Polo menthe.

Elle disait : « C'est son seul plaisir... »

Pauvre papa.

Quand il s'est remarié à soixante-douze ans, sa nouvelle épouse, Lillian, une femme de dix ans sa cadette qui aimait s'amuser, m'a dit qu'elle avait l'impression de dormir avec un tison chauffé à blanc.

Je n'ai cessé de hurler qu'à l'âge de deux ans. À l'évidence, j'étais possédée par le Diable. La pédopsychologie n'était pas encore arrivée jusqu'à Accrington, et malgré les travaux essentiels produits par Winnicott, Bowlby et Balint sur l'attachement et le traumatisme de la première séparation d'avec l'objet d'amour qu'est la mère, un bébé qui hurle n'est pas un bébé qui a le cœur brisé – c'est un bébé du Diable.

Cela me donnait un pouvoir étrange tout en me mettant dans une position particulièrement vulnérable. Je crois que mes nouveaux parents avaient peur de moi.

Les bébés font peur – des tyrans inexpérimentés qui n'ont

que leur corps pour royaume. Ma nouvelle mère avait un rapport complexe au corps – le sien, celui de mon père, leurs corps ensemble et le mien. Elle avait étouffé son corps sous des plis de chair et des couches de vêtements, avait supprimé ses appétits avec un épouvantable mélange de nicotine et de Jésus, lui administrait des purgatifs qui la faisaient vomir, le soumettait aux médecins qui lui prescrivaient des lavements et des anneaux pelviens, assujettissait ses désirs ordinaires tels qu'être touchée, réconfortée, et voilà que d'un coup, elle se retrouvait avec une chose qui n'était qu'un corps, sans qu'elle y soit préparée, sans qu'il soit sorti du sien.

Une chose qui rotait, l'aspergeait d'urine ou la couvrait de selles et qui hurlait à travers la maison.

Elle avait trente-sept ans à mon arrivée et mon père quarante. Cela n'a rien d'exceptionnel aujourd'hui, mais en 1960, les gens se mariaient jeunes et fondaient leur famille dès la vingtaine. Mes parents, eux, étaient mariés depuis quinze ans.

C'était un mariage à l'ancienne dans le sens où mon père ne faisait jamais la cuisine, et avec mon adoption, ma mère est devenue femme au foyer. Cela lui a fait beaucoup de mal et a plongé sa nature introvertie dans une dépression sans issue. Elle et moi nous disputions beaucoup, sur bien des sujets, mais au fond, le combat qui nous opposait était celui qui opposait le malheur et le bonheur.

J'étais souvent désespérée, en colère. J'étais toujours seule. Malgré tout, j'étais et suis encore amoureuse de la vie. Dans les moments de trouble, j'allais marcher dans les Pennines – n'ayant pour tenir toute la journée qu'un sandwich à la confiture et une bouteille de lait. Si on m'enfermait dehors ou dans la réscrvc à charbon, la seconde punition préférée de ma mère, je m'inventais des histoires et j'oubliais le froid et le noir. Je sais que ce sont des moyens de survivre, mais peut-être que le refus, sous n'importe quelle forme, de se laisser briser fait entrer assez d'air et de lumière pour sauvegarder notre foi dans le monde – notre rêve de fuite.

Je suis tombée récemment sur de vieux papiers à moi et, en dehors des scories habituelles de la poésie adolescente, il y avait aussi cette phrase que j'ai reprise sans m'en rendre compte plus tard dans *Les Oranges* – « Ce que je désire existe si j'ose le trouver »…

Certes, il s'agit du mélodrame d'une jeune fille, mais cette attitude semble avoir eu une fonction protectrice.

Je préférais les histoires de trésors enfouis, d'enfants perdus ou de princesses prisonnières. Découvrir le trésor, rendre les enfants à leurs parents ou délivrer la princesse me semblait encourageant.

Et la Bible me disait que même si personne ne m'aimait sur terre, le Seigneur dans les cieux, lui, m'aimait comme si j'étais la seule personne qui compte au monde.

J'y croyais. Cela m'aidait.

Ma mère, Mrs Winterson, n'aimait pas la vie. Elle ne croyait pas que quoi que ce soit puisse rendre la vie meilleure. Elle m'a dit une fois que l'univers était une poubelle cosmique – et après y avoir réfléchi un moment, je lui ai demandé si le couvercle était ouvert ou fermé.

« Fermé. Personne n'en réchappe. »

La seule échappatoire était Armageddon – la dernière bataille, le jour où le ciel et la terre seraient roulés comme un parchemin, et seuls les élus pourraient vivre éternellement aux côtés de Jésus.

Comme du temps de la guerre, elle avait un placard qui servait de réserve. Toutes les semaines, elle y déposait une nouvelle conserve – certaines étaient là depuis 1947 – et je crois que quand la dernière bataille commencerait, le plan était de se réfugier sous les escaliers et de nous nourrir de ces conserves, entourés de tubes de cirage. Mes succès précédents avec l'ouverture des boîtes de corned-beef m'ont rassurée. Nous allions piocher dans nos vivres en attendant Jésus.

Je me demandais si nous allions être personnellement libérés par Jésus, mais Mrs Winterson ne le croyait pas. « Il enverra un ange. »

Il en irait donc ainsi – un ange sous les escaliers.

Je me demandais comment il pourrait rentrer dans le cagibi avec ses ailes, mais Mrs Winterson a précisé que l'ange ne nous rejoindrait pas vraiment sous les escaliers – il ouvrirait seulement la porte et nous dirait qu'il était temps de partir. Que notre demeure céleste nous attendait.

Ces interprétations élaborées d'un avenir post-apocalyptique lui occupaient l'esprit. Parfois elle semblait heureuse, et jouait du piano, mais le malheur n'était jamais loin, une nouvelle pensée venait assombrir sa vision et elle s'arrêtait brusquement de jouer, fermait le couvercle, et faisait les cent pas, allait et venait dans l'allée derrière la maison sous les fils où séchait le linge, tournait en rond comme si elle avait perdu quelque chose.

Elle avait bien perdu quelque chose. C'était une chose de taille. Elle avait perdu/perdait la vie.

Nous aurions dû nous entendre en matière de perte, passée et présente. J'avais perdu le refuge sûr et chaud, bien que chaotique, de la première personne que j'avais aimée. J'avais perdu mon nom et mon identité. Les enfants adoptés sont délogés. Ma mère sentait que la vie tout entière était un grand délogement. Nous voulions toutes les deux rentrer à la maison.

L'idée de l'Apocalypse m'excitait néanmoins parce que Mrs Winterson la rendait excitante, mais en secret, j'espérais que la vie patienterait jusqu'à ce que je sois devenue assez grande pour en apprendre un peu plus sur le sujet.

Le seul avantage d'être enfermée dans la réserve à charbon est que cela incite à réfléchir.

Hors contexte, cette phrase est absurde. Mais en essayant de comprendre comment fonctionne la vie – et pourquoi certaines personnes s'en tirent mieux que d'autres face à l'adversité – je reviens à cette idée de dire oui à la vie, qui se traduit par amour de la vie, aussi inadéquate soit-elle, et amour de soi, aussi difficile à cerner soit-il. Cela ne passe pas par la méthode du « moi d'abord », qui est l'opposé de la vie et de l'amour, mais plutôt par celle du saumon remontant avec détermination le courant, car aussi violent soit-il, c'est le courant de vos origines…

Ce qui me ramène au bonheur et à son étymologie.

Aujourd'hui, il s'apparente avant tout à un sentiment de plaisir et de contentement ; une excitation, du piquant, l'estomac retourné, un sentiment agréable, juste, reposant, et vivant… enfin, vous voyez…

Mais des significations plus anciennes fondent le *hap* de

happiness – *happ* en moyen anglais, *gehapp* en vieil anglais –, à savoir la chance ou la fortune, bonne ou mauvaise, qui vous tombe dessus. *Hap*, c'est le lot qui vous incombe, les cartes qui vous sont distribuées.

La façon d'appréhender votre *hap* déterminera si vous pouvez être *happy*, heureux, ou non.

Ce que les Américains, dans leur Constitution, appellent « la recherche du bonheur » (relevez bien qu'il ne s'agit pas du « droit au bonheur »), est le droit de remonter le courant, à la manière d'un saumon.

Rechercher le bonheur, je l'ai fait et continue de le faire, n'a rien à voir avec le fait d'être heureux – un état éphémère d'après moi qui est subordonné aux circonstances et un peu bovin.

S'il brille, mettez-vous au soleil – oui, d'accord, très bien. Ces bonheurs-là sont merveilleux, mais ils n'ont qu'un temps – bien obligé – puisque le temps passe.

La recherche du bonheur est plus insaisissable ; elle dure toute la vie et n'est pas tenue par l'obligation de résultat.

Ce que vous cherchez est un sens – une vie qui a du sens. Revoilà le *hap* – le destin, le sort qui est le vôtre et qui est fuyant, évolue au fil du courant ou vous distribue de nouvelles cartes, la métaphore n'a pas d'importance. Cela demandera beaucoup d'énergie. Il y aura des moments si terribles que vous y survivrez à peine, et d'autres où vous comprendrez que le gouffre que vous vous êtes choisi vaut mieux que l'existence factice, en demi-teinte, qu'on a choisie pour vous.

Cette recherche ne se réduit pas à tout ou rien – c'est tout ET rien. Comme dans les récits de quête.

En naissant, je suis devenue le coin visible d'une carte pliée. La carte offre plus d'un itinéraire. Plus d'une destination. La carte, ce moi qui se déplie, ne conduit nulle part en particulier. La flèche qui indique VOUS ÊTES ICI est votre première coordonnée. Il y a bien des choses qu'on ne peut changer quand on est enfant. Mais on peut au moins faire son sac en prévision du voyage...

3

Au commencement était le Mot

Ma mère m'avait appris à lire dans le Deutéronome parce qu'on y trouve plein d'animaux (généralement impurs). Chaque fois qu'on lisait la phrase « Vous ne mangerez pas les animaux qui ruminent seulement, ou qui ont la corne fendue et le pied fourchu seulement », elle me dessinait tous les animaux qui étaient énumérés ensuite. Les chevaux, les lapins et les canards m'évoquaient vaguement des créatures fabuleuses, mais je savais tout sur les pélicans, les damans, les paresseux et les chauves-souris. [...] Ma mère dessinait des insectes ailés et les oiseaux du ciel, mais je préférais les animaux marins, les mollusques. J'en avais une belle collection ramassée sur la plage à Blackpool. Ma mère avait un crayon bleu pour faire les vagues et de l'encre brune pour le crabe au dos écailleux. Il y avait un stylo rouge pour les homards [...]. Le Deutéronome avait tout de même des inconvénients ; il abonde en Abominations et en Choses Innommables. Chaque fois qu'on lisait une histoire à propos d'un bâtard ou de quelqu'un qui avait eu les testicules écrasés, ma mère tournait la page et disait : « Laissons cela au Seigneur » ; mais quand elle était partie, je jetais un coup d'œil. J'étais contente de ne pas avoir de testicules. Ça avait l'air de ressembler à des intestins, sauf que c'était à l'extérieur, et les hommes de la Bible se faisaient tout le temps couper les testicules et, après, ils ne pouvaient plus aller à l'église. Horrible.

Les oranges ne sont pas les seuls fruits

Ma mère était en charge du langage. Mon père n'avait jamais vraiment appris à lire – il déchiffrait, le doigt suivant la ligne, mais avait arrêté l'école à douze ans pour aller travailler sur les docks de Liverpool. Avant cela, personne n'avait pris la peine de lui faire la lecture. Son père alcoolique emmenait souvent son petit garçon au pub, le laissait dehors, en sortait des heures plus tard d'un pas chancelant et rentrait chez lui en oubliant mon père, endormi dans l'embrasure d'une porte.

Papa adorait quand Mrs Winterson lisait à voix haute – et moi aussi. Elle restait toujours debout tandis que nous deux étions assis, et c'était tout à la fois intime et impressionnant.

Elle nous lisait la Bible chaque soir pendant une demi-heure, prenait du début et enchaînait avec les soixante-six livres qui constituent l'Ancien et le Nouveau Testament. Arrivée à son passage préféré, à l'Apocalypse où tout le monde explosait et au Diable dans le puits sans fond, elle nous laissait une semaine pour bien y réfléchir. Puis, elle reprenait sa lecture, Genèse chapitre un. *Au commencement, Dieu créa les cieux et la terre...*

Je me disais que c'était beaucoup de travail de fabriquer toute une planète, tout un univers pour finalement les détruire, mais c'est un des problèmes posés par ceux qui prennent la chrétienté au pied de la lettre ; pourquoi prendre soin d'une planète quand on sait qu'elle va finir en mille morceaux ?

Ma mère était une bonne lectrice, pleine d'assurance et aux inflexions théâtrales. Elle lisait la Bible comme si elle venait d'être écrite – et peut-être le percevait-elle ainsi. J'ai compris très tôt que le pouvoir d'un texte n'est pas lié au temps. Les mots continuent de faire leur œuvre.

Dans le nord de l'Angleterre, les familles de la classe ouvrière avaient l'habitude d'entendre la Bible de 1611 à l'église ou à la maison et comme chez nous la distinction entre vouvoiement et tutoiement, exprimées par les *thee, thou* ou *tha*, avait toujours cours, cette langue ne semblait pas si difficile. J'aimais particulièrement « les morts et les vivants » – vous devenez vraiment sensible à ces subtilités quand vous vivez dans une maison pleine de souris et de souricières.

Dans les années 60, beaucoup d'hommes – et je dis bien des hommes, pas des femmes – suivaient des cours du soir au Working Men's Institutes ou au Mechanics' Institute – autres initiatives progressistes venues de Manchester. En ce temps-là, l'idée « d'améliorer sa condition » n'était pas considérée comme élitiste, tout comme on ne pensait pas que les valeurs étaient relatives ou que la culture était une entité homogène – soit les films d'horreur de la Hammer soit Shakespeare.

Ces cours du soir prisaient Shakespeare – et personne ne s'est jamais plaint de la difficulté de la langue. Pourquoi ? Parce qu'elle n'était pas difficile – c'était celle de la Bible de 1611, la version du roi Jacques parue l'année où *La Tem-*

pête, première pièce à bénéficier de publicité, fut jouée. La même année, Shakespeare écrivit *Le Conte d'hiver*.

Cette continuité pourtant utile a été mise à bas par des personnes instruites et bien intentionnées qui n'ont pas pensé aux conséquences pour la culture au sens large que pourrait avoir la diffusion d'une Bible dans un anglais modernisé et dépouillé de cette langue ancienne. Résultat, les hommes et les femmes sans instruction, des hommes comme mon père et des enfants comme moi fréquentant des écoles ordinaires, ont perdu le lien évident et quotidien avec quatre cents ans de langue anglaise.

Beaucoup de gens âgés de ma connaissance, appartenant à la génération de mes parents, citaient Shakespeare, la Bible et parfois même des poètes métaphysiques comme John Donne en ignorant la source, en les déformant ou en les mélangeant.

Apocalyptique de nature, ma mère aimait accueillir chaque calamité ou bonne nouvelle par un « Ne demande pas pour qui sonne la cloche... ». C'était lancé, comme il se doit, sur un ton sépulcral. Les églises évangéliques n'ayant pas de cloches, je ne comprenais même pas qu'il était question de la mort, et il m'a fallu attendre d'aller à Oxford pour découvrir qu'il s'agissait d'une citation erronée d'un passage en prose de John Donne, celui qui commence par « Nul homme n'est une île, complète en elle-même... » et se termine par « N'envoie donc jamais demander pour qui la cloche sonne : elle sonne pour toi... ».

Une fois, mon père a gagné la tombola organisée à son travail. Il est rentré à la maison, réjoui. Ma mère a demandé quel était le gros lot.

« Cinquante livres sterling et deux boîtes de Wagon

Wheels. » (Il s'agissait de gros biscuits chocolatés dégoûtants avec un chariot et un cow-boy sur l'emballage.)

Ma mère n'a pas réagi alors mon père a ajouté : « C'est un beau prix, Connie – tu es contente ?

– Ne demande pas pour qui sonne la cloche... » a-t-elle rétorqué.

Nous n'avons donc pas demandé.

Elle affectionnait bien d'autres sentences. Notre four à gaz a explosé. Le réparateur est venu et a déclaré que la situation ne lui disait rien de bon, ce qui n'était pas surprenant étant donné que le four et les murs étaient noirs. Mrs Winterson a répliqué : « C'est un péché contre le ciel, un péché contre les morts et contre la nature. » Cela fait beaucoup à porter pour un four à gaz.

Elle adorait cette phrase et l'a employée plus d'une fois à mon égard ; quand une personne bien intentionnée lui demandait comment je me portais, Mrs W baissait les yeux et soupirait : « Elle est un péché contre le ciel, un péché contre les morts et contre la nature. »

C'était encore pire pour moi que pour le four à gaz. La partie sur les « morts » me tracassait particulièrement et je me demandais quel infortuné parent, parmi ceux qui étaient décédés, j'avais offensé de la sorte.

Plus tard, je suis tombée sur ces lignes dans *Hamlet*.

Dès qu'elle faisait une comparaison défavorable, pour elle ou pour les autres, son expression préférée était : « Comme la pomme à vache à la petite pomme d'api ».

Ici, c'est le Fou du *Roi Lear* qui parle. Mais on dirait bien une expression du nord de l'Angleterre, surtout parce qu'il me semble que la tradition de la classe ouvrière est une tradition orale plus que livresque, mais la richesse de sa langue provient d'avoir absorbé certains classiques à l'école – le par cœur était de mise – et d'une utilisation inventive de la langue pour raconter une bonne histoire. Quand j'y repense, je m'aperçois que nos réserves de vocabulaire n'étaient pas si pauvres que ça – et nous adorions les images.

Jusqu'aux années 80, la culture visuelle, celle de la télévision, la culture de masse, n'avaient pas eu trop d'impact dans le Nord – il existait encore une solide culture locale et un dialecte vivace. Je suis partie en 1979 et ce n'était pas si différent de 1959. En 1990, lorsque nous y sommes retournés afin de tourner *Les Oranges* pour la BBC, la situation avait changé du tout au tout.

Pour les gens que je fréquentais, les livres étaient rares et les histoires partout, et l'important était la façon de les raconter. Un simple échange dans le bus devait être narratif.

« Comme ils ont pas d'argent, ils vont passer leur lune de miel à Morecambe.

– Si c'est pas triste, quand même – parce que c'est qu'on s'enquiquine vite, à Morecambe, une fois qu'on a fait trempette.

– Ça me fait bien de la peine pour eux.

– C'est sûr, mais la lune de miel ne dure qu'une semaine – moi, je connais une femme qui y a passé toute sa vie, à Morecambe. »

Ne demande pas pour qui sonne la cloche...

Ma mère racontait des histoires – de leur vie durant la guerre ou de la fois où elle avait joué de l'accordéon dans l'abri antiaérien afin de se débarrasser des rats. Apparemment, les rats aiment le violon et le piano mais ne supportent pas l'accordéon...

Sur cette période où elle cousait des parachutes – toutes les filles volaient la soie pour se faire des vêtements.

Sur son avenir, quand elle vivrait dans une grande maison sans voisins. Son seul et unique souhait dans la vie était que les autres disparaissent. Mais quand j'ai fini par disparaître, elle ne me l'a jamais pardonné.

Elle aimait les récits miraculeux sans doute parce que son existence était aussi éloignée d'un miracle que Jupiter l'est de la Terre. Elle croyait aux miracles, même si elle n'en a jamais reçu – enfin, peut-être en a-t-elle reçu un, sauf que c'était moi et qu'elle ne savait pas que les miracles arrivent déguisés.

J'étais un miracle dans le sens où j'aurais pu la sortir de sa vie pour lui en faire découvrir une autre qu'elle aurait aimée davantage. Les choses ne se sont pas passées de cette façon, ce qui ne veut pas dire que la possibilité qu'elles se soient passées ainsi n'existait pas. J'ai donc appris à la dure à ne pas laisser échapper ou mal interpréter ce qui est vraiment là, entre nos mains, au présent. Nous avons tendance à croire que ce dont on a besoin pour tout transformer – le miracle – est ailleurs alors que nous avons la solution sous notre nez. Parfois nous sommes la solution, elle est en nous.

Elle adorait les récits miraculeux de la Bible, comme celui des cinq petits pains et des deux petits poissons sans doute parce que nous n'avions jamais assez à manger, ou les histoires venues du front, de Jésus parcourant le monde.

Personnellement, j'avais un faible pour le géant Alléluia

– qui était passé de deux mètres cinquante à un mètre quatre-vingt-dix grâce aux prières des fidèles.

Il y avait aussi les histoires de sacs de charbon qui surgissaient de nulle part et de la livre sterling qu'on retrouvait au fond du porte-monnaie quand on en avait le plus besoin.

À l'inverse, elle n'aimait pas les histoires qui ramenaient les morts parmi les vivants. Elle répétait que si elle mourait, nous avions interdiction de prier pour la faire revenir.

Elle avait cousu l'argent destiné à son enterrement dans la doublure des rideaux – du moins jusqu'à ce que je le vole. Quand j'ai défait l'ourlet, j'ai trouvé un mot écrit de sa main – elle était si fière de son écriture – qui disait : *« Jack et Jeanette, ne pleurez pas. Vous savez où je suis. »*

J'ai pleuré quand même. Pourquoi l'amour se mesure-t-il à l'étendue de la perte ?

4

Le problème avec un livre...

Nous avions six livres à la maison.

Il y avait une bible ainsi que deux commentaires de la Bible. Ma mère avait le tempérament pamphlétaire et savait que les feux de la sédition et de la controverse sont allumés par la matière imprimée. Notre foyer n'était pas laïque et ma mère était déterminée à ce que je ne subisse aucune influence profane.

J'ai demandé à ma mère pourquoi nous ne pouvions pas avoir de livres et elle a répondu : « Le problème avec un livre, c'est qu'on ne sait jamais ce qu'il contient avant qu'il ne soit trop tard. »

« Trop tard pour quoi ? » me suis-je interrogée.

J'ai commencé à lire en cachette – je n'avais pas le choix – et chaque fois que je tournais une page, je me demandais si cette fois, il serait trop tard ; un dernier trait (un dernier jet) qui me changerait à jamais, comme la bouteille d'Alice, ou les potions formidables dans *Docteur Jekyll et Mr Hyde*, ou le liquide mystérieux qui scelle le destin de Tristan et Iseult.

Dans la mythologie, les légendes, les contes de fées, et dans tous les récits qui empruntent à ces formes premières, la taille et la forme sont approximatives, sujettes au changement. Le cœur n'est pas épargné, lui qui peut soudain mépriser l'être aimé ou se mettre à aimer ce qu'il détestait.

Regardez ce qui arrive dans *Le Songe d'une nuit d'été* de Shakespeare quand le collyre de Puck transforme Lysandre, le séducteur opportuniste, en mari dévoué. Dans la façon qu'a Shakespeare d'utiliser la potion magique, ce n'est pas l'objet du désir en soi qui est altéré – les femmes sont ce qu'elles sont – mais l'homme qui est forcé de les voir sous un jour nouveau.

Dans la même pièce, Titania s'éprend brièvement d'un balourd affublé d'une tête d'âne – un emploi malicieux de la potion transformante, mais qui interroge la réalité : voyons-nous ce que nous pensons voir ? Aimons-nous comme nous croyons aimer ?

Il n'est pas facile de grandir. Étrangement, même quand le corps cesse de grandir, les émotions, elles, semblent poursuivre leur croissance, s'étoffent ou s'appauvrissent, certains aspects de notre être se développant plus que d'autres, qu'il vaut mieux laisser disparaître... La rigidité ne fonctionne jamais ; on finit disproportionné par rapport à notre monde.

Autrefois, j'abritais une colère si énorme qu'elle aurait pu remplir n'importe quelle maison. J'éprouvais un tel désespoir que j'étais comme Tom Pouce qui doit se cacher derrière un fauteuil pour éviter qu'on ne lui marche dessus.

Vous souvenez-vous de quelle façon Sinbad piège le génie ? Sinbad ouvre la bouteille d'où surgit un génie de trois cents pieds qui menace de tuer le pauvre homme. Alors Sinbad en appelle à sa vanité et parie qu'il n'est pas capable de se glisser à nouveau dans la bouteille. Le génie s'exécute et Sinbad rebouche la bouteille jusqu'à ce que le génie apprenne les bonnes manières.

Jung, au contraire de Freud, aimait les contes de fées pour ce qu'ils racontent de la nature humaine. Parfois, et même souvent, une part de nous est à la fois instable et puissante – comme cette colère noire capable de vous tuer en même temps que d'autres et qui menace de tout engloutir. Nous ne pouvons négocier avec cette part puissante mais enragée de notre être qu'après lui avoir appris de meilleures manières – ce qui signifie la remettre dans la bouteille pour lui montrer qui commande. Il n'est pas question de refoulement, mais de trouver le bon réceptacle. En analyse, le thérapeute joue le rôle du réceptacle qui reçoit ce que nous n'osons pas laisser échapper parce que cela nous effraie, ou ce que nous laissons quelquefois échapper et qui sème le chaos dans notre existence.

Les contes de fées nous préviennent qu'il n'existe pas de taille standard – c'est une illusion de la vie industrialisée, une illusion avec laquelle les agriculteurs se débattent encore quand ils tentent de refourguer des légumes calibrés aux supermarchés… non, la taille est à la fois singulière et susceptible de changer.

Ces récits où les dieux prennent forme humaine – divinités au pouvoir diminué – sont aussi des histoires qui invitent à se méfier des apparences qui peuvent être trompeuses.

Personnellement, il me semble qu'avoir une taille en accord avec son monde – et savoir que votre monde et vous n'avez pas de dimensions fixes – est très utile pour apprendre à vivre.

Mrs Winterson était trop massive pour son monde mais se tenait à croupetons dans ses soubassements, morose et entravée, jusqu'au moment où elle se redressait d'un coup et nous contemplait du haut de ses quatre-vingt-dix mètres.

Puis, parce que cela ne servait à rien, qu'apparemment cette attitude était inefficace et destructrice, elle rapetissait, vaincue.

N'étant moi-même pas bien grande, j'aime les histoires de petits/de perdants bien qu'elles ne traitent pas franchement de l'opposition entre deux tailles. Pensez, disons, à *Jack et le haricot magique* qui, à la base, raconte l'histoire d'un géant idiot et laid et de Jack, un petit malin qui court vite. OK, mais l'élément instable est en fait le haricot qui, partant d'une graine, devient une tige gigantesque que Jack escalade pour atteindre le château. Ce pont entre deux mondes est imprévisible et plein de surprises. Plus tard, quand le géant grimpe sur la tige à la poursuite de Jack, le haricot doit être abattu illico presto. Ce qui me fait dire que la recherche du bonheur, que nous pourrions aussi bien appeler la vie, regorge d'éléments éphémères et inopinés – on va quelque part où l'on ne pourrait pas aller autrement, et l'on retire un bénéfice du voyage bien que l'on ne puisse rester dans cet autre monde, *primo* parce que ce n'est pas le nôtre et *secundo* parce qu'il ne faut pas laisser ce dernier écraser celui dans lequel on peut vivre. Le haricot doit être abattu. En revanche, il est possible de rapporter les trésors à grande échelle qu'offre « l'autre monde », la harpe qui chante et la poule aux œufs d'or dans le cas de Jack. Ce que l'on « a gagné » s'adaptera à notre taille et à notre forme – tout comme les princesses miniatures ou les princes grenouilles prennent l'aspect nécessaire pour leur permettre de mener leur nouvelle vie, et la nôtre.

Bref, la taille, ça compte.

Dans mon roman *Le Sexe des cerises* (1989), j'ai inventé un personnage appelé la Femme aux chiens ; une géante qui vit sur la Tamise. Elle souffre parce qu'elle est trop grande pour son monde. C'est une version alternative de ma mère.

Six livres... ma mère ne voulait pas que les livres tombent entre mes mains. Elle n'imaginait pas que je puisse tomber entre leurs pages – que je m'y réfugie pour me protéger.

Chaque semaine, Mrs Winterson m'envoyait à la bibliothèque d'Accrington pour récupérer sa pile de romans à énigme. Certes, c'est paradoxal, mais nos contradictions n'en sont jamais à nos yeux. Elle aimait Ellery Queen et Raymond Chandler, et quand je lui rappelais que « le problème avec la littérature (qui rime avec pourriture), c'est qu'on ne sait jamais ce qu'il y a à l'intérieur avant qu'il ne soit trop tard... », elle répondait que si l'on sait par avance qu'il va y avoir un cadavre, on ne peut pas être surpris.

J'avais le droit de lire tout ce qui n'était pas de la fiction, les textes sur les rois et les reines et l'histoire, mais les romans, eux, étaient bannis. Tout le problème était là...

La bibliothèque municipale d'Accrington était un bâtiment en pierre abritant un très grand nombre de livres, construite selon les valeurs d'une époque où l'on croyait à l'autodidactisme et au perfectionnement. Elle a été achevée en 1908 avec l'argent de la Fondation Carnegie. L'extérieur est orné des bustes de Shakespeare, Milton, Chaucer et Dante. À l'intérieur, le sol est pavé d'un carrelage au motif Art nouveau et le mur est percé d'une fenêtre gigantesque en vitrail où l'on peut lire des conseils utiles du type : TRAVAIL ET PRUDENCE SONT VICTORIEUX.

La bibliothèque proposait tous les classiques de la littérature anglaise et un certain nombre de surprises telles que Gertrude Stein. Ne sachant quoi lire ni dans quel ordre, j'ai suivi l'alphabet. Dieu merci, elle s'appelait Austen...

Parmi les six livres que nous avions à la maison, l'un d'eux était incongru ; un exemplaire du *Morte d'Arthur* de Thomas Malory. C'était une sublime édition illustrée qui avait appartenu à un oncle bohème et cultivé ; le frère de sa mère. Si bien que Mrs W l'avait gardé et lu.

Les histoires d'Arthur, de Lancelot et de Guenièvre, de Merlin, Camelot et de la quête du Graal se sont arrimées à moi telle la molécule manquante d'un composé chimique.

J'ai retravaillé le cycle arthurien toute ma vie. Il contient des récits de perte, de loyauté, d'échec, de reconnaissance, de seconde chance. Il fut un temps où j'étais obligée de sauter le passage où Perceval a une vision du Graal mais échoue à l'obtenir parce qu'il n'est pas capable de poser *la* question. Perceval erre dans les bois pendant vingt ans, courant après ce qu'il avait pourtant trouvé, qu'on lui avait donné, qui semblait si simple, qui ne l'était pas.

Plus tard, quand j'ai connu des phases difficiles dans mon travail, que j'ai senti que j'avais perdu ou m'étais détournée de quelque chose sans même pouvoir l'identifier, l'histoire de Perceval me redonnait espoir. Peut-être y aurait-il une seconde chance...

En fait, nous avons droit à plus que deux chances – beaucoup plus. Avec mes cinquante années d'expérience, je sais à présent que le va-et-vient entre trouver/perdre, oublier/se souvenir, quitter/retrouver, est incessant. L'existence n'est qu'une question de seconde chance et tant que nous serons en vie, jusqu'à la fin, il restera toujours une autre chance.

Et bien sûr, j'adorais l'histoire de Lancelot parce qu'elle ne parle que de désir et d'amour à sens unique.

C'est vrai, les histoires sont dangereuses, ma mère avait raison. Un livre est un tapis volant qui vous emporte loin. Un livre est une porte. Vous l'ouvrez. Vous en passez le seuil. En revenez-vous ?

J'avais seize ans et ma mère était sur le point de me mettre définitivement à la porte parce que j'avais enfreint une règle cruciale – encore plus cruciale que l'interdiction de lire des romans. La règle se résumait à : sexualité interdite, et surtout, sexualité interdite avec une personne du même sexe.

J'étais effrayée et malheureuse.

Je me rappelle m'être rendue à la bibliothèque pour lui prendre ses romans à énigme. Entre autres, elle avait réservé un certain *Meurtre dans la cathédrale* de T. S. Eliot. Elle l'avait pris pour un récit sanglant sur des moines dévoyés – elle aimait tout ce qui égratignait l'image du pape.

Le volume me paraissait un peu court – les romans à énigme sont plutôt longs, en général – alors je l'ai feuilleté et j'ai vu qu'il était écrit en vers. Ça ne convenait vraiment pas... Je n'avais jamais entendu parler de T. S. Eliot. Je me disais qu'il avait peut-être un lien de parenté avec George Eliot. La bibliothécaire m'a expliqué qu'il s'agissait d'un poète américain qui avait passé presque toute sa vie en Angleterre. Il était mort en 1964 et avait reçu le prix Nobel.

Je ne lisais pas de poésie parce que mon but était de venir à bout du rayon LITTÉRATURE ANGLAISE EN PROSE DE A À Z.

Mais là, c'était différent...

J'ai lu : « C'est un moment/Mais sachez qu'une autre vision/vous percera d'une soudaine joie douloureuse. »

J'ai fondu en larmes.

Les lecteurs ont levé les yeux vers moi avec un air de reproche, et la bibliothécaire m'a réprimandée parce qu'à cette époque, on ne devait pas éternuer dans une bibliothèque, et encore moins pleurer. Alors je suis sortie avec le livre et l'ai lu en entier assise sur les marches du bâtiment, exposée aux habituelles bourrasques du vent du nord.

Cette pièce de théâtre inconnue et merveilleuse a rendu la situation supportable ce jour-là, et ce qu'elle rendait supportable était un second ratage familial – le premier n'était pas ma faute même si tous les enfants adoptés se sentent coupables. J'étais sans aucun doute responsable du second.

J'étais déboussolée en matière de sexe et de sexualité, et des problèmes aussi concrets que savoir où vivre, comment me nourrir et passer mon bac m'angoissaient.

Je n'avais personne sur qui compter, mais T. S. Eliot m'a aidée.

Du coup, quand les gens disent que la poésie est un luxe, qu'elle est optionnelle, qu'elle s'adresse aux classes moyennes instruites, ou qu'elle ne devrait pas être étudiée à l'école parce qu'elle n'est pas pertinente ou tout autre argument étrange et stupide que l'on entend sur la poésie et la place qu'elle occupe dans notre vie, j'imagine que ces gens ont la vie facile. Une vie difficile a besoin d'un langage difficile – et c'est ce qu'offre la poésie. C'est ce que propose la littérature – un langage assez puissant pour la décrire.

Ce n'est pas un lieu où se cacher. C'est un lieu de découverte.

À bien des égards, il était temps pour moi de partir. Les livres avaient eu raison de moi, et ma mère avait eu raison des livres.

Je travaillais sur le marché, les samedis ainsi que les jeudis et les vendredis après l'école, où j'aidais à remballer les marchandises. Avec l'argent gagné, j'achetais des livres. Je les introduisais à la maison en cachette et les dissimulais sous mon matelas.

Quiconque possède un lit une place de taille standard et une collection de livres de poche de taille standard saura que l'on peut glisser une surface de soixante-douze volumes par couche sous le matelas. Peu à peu, mon lit a commencé à prendre de la hauteur comme celui de la princesse au petit pois, si bien que je dormais plus près du plafond que du sol.

Ma mère était méfiante de nature, mais même si elle ne l'avait pas été, il ne faisait aucun doute que sa fille s'élevait dans le monde.

Un soir en entrant dans ma chambre, elle a vu le coin d'un livre qui dépassait de sous le matelas. Elle l'a extirpé de sa cachette et l'a examiné avec sa lampe de poche. Mauvaise pioche : D. H. Lawrence, *Femmes amoureuses*.

Mrs Winterson, pour qui Lawrence était un sataniste doublé d'un pornographe, a jeté le livre par la fenêtre, puis s'est mise à fouiller et fourrager tant et si bien que j'en suis tombée du lit alors qu'elle envoyait livre après livre dans l'arrière-cour. J'attrapais ce que je pouvais, tentais de le cacher, la chienne courait après les livres, et mon père assistait à ce spectacle en pyjama, impuissant.

Quand elle a eu terminé, elle a pris le petit réchaud dont on se servait pour chauffer la salle de bains, est sortie dans le jardin, a versé le pétrole sur les livres et y a mis le feu.

Je les ai regardés flamber et flamber et je me souviens de la chaleur qu'ils dégageaient, de la lumière vive sur la nuit de janvier saturnienne et glaciale. Pour moi, les livres ont toujours représenté la lumière et la chaleur.

Je leur avais confectionné des couvertures en plastique parce qu'ils étaient précieux. Et voilà qu'ils partaient en fumée.

Le lendemain matin, la cour et l'allée étaient jonchés de bouts de textes. Des puzzles calcinés de livres. J'ai ramassé quelques-uns de ces morceaux.

C'est sans doute pour cette raison que j'écris comme je le fais – amassant les bribes, incertaine de la continuité du récit. Que dit Eliot ? *Je veux de ces fragments étayer mes ruines...*

Je suis restée silencieuse pendant un moment, mais j'avais compris quelque chose d'important : tout ce qui est à l'extérieur peut disparaître à tout moment. Il n'y a de sécurité que pour ce que l'on garde en soi.

J'ai commencé à apprendre des textes. Nous apprenions de longs passages de la Bible depuis toujours, et dans les familles où la tradition orale est demeurée vivace, on a une meilleure mémoire que dans celles qui se sont tournées vers l'écrit.

Il fut un temps où l'archivage n'était pas un acte administratif ; c'était une forme artistique. Les premiers poèmes servaient à commémorer, à nous rappeler, à transmettre aux générations suivantes une victoire lors d'une bataille ou la vie de la tribu. L'*Odyssée*, *Beowulf* sont des poèmes, oui, mais dotés d'une fonction pratique. Si vous ne pouvez pas l'écrire, comment faire passer le message ? Vous l'apprenez. Vous le récitez.

Le rythme et l'image de la poésie la rendent plus facile à mémoriser que la prose, plus facile à scander. Mais j'avais aussi besoin de la prose, si bien que je me suis constitué mes propres versions abrégées de romans du dix-neuvième siècle – en visant davantage le talisman que l'intrigue.

Je gardais en moi des phrases – une guirlande de lumières qui me guidaient. J'avais le langage.

La fiction et la poésie sont des médicaments, des remèdes. Elles guérissent l'entaille pratiquée par la réalité sur l'imagination.

J'avais été gravement blessée et un pan essentiel de ma personne avait été détruit – c'était ma réalité, les faits de ma vie ; mais l'envers des faits était ce que je pouvais être, ce que je pouvais ressentir et si j'avais les mots, les images et les histoires pour l'exprimer, alors je n'étais pas perdue.

Ce n'était pas sans souffrance. Ce n'était pas sans joie. Il y avait la joie douloureuse dont parle Eliot. Je l'ai éprouvée pour la première fois en gravissant la colline au-dessus de chez nous, les rues tout en longueur, une ville en bas et une colline en haut. Les rues pavées. Ces rues qui conduisaient directement au Quartier aux Usines, au fond de la plaine.

J'ai parcouru le paysage du regard et cela ne ressemblait pas à un miroir ou à un monde. C'était l'endroit où j'étais, pas l'endroit où je serai. Les livres avaient disparu, mais ce n'était que des objets ; leur contenu ne pouvait pas être aussi facilement détruit. Ce qu'ils renfermaient était déjà en moi et ensemble, nous prendrions la fuite.

Le lendemain matin, debout au-dessus du tas de papiers et de caractères d'imprimerie qui continuaient de fumer dans le froid, j'ai compris que je pouvais faire autre chose.

« Merde à la fin, me suis-je dit, je peux bien écrire le mien. »

5

À la maison

La nôtre était une maison étroite parmi une longue rangée de maisons mitoyennes étroites. La route devant chez nous était pavée. Le trottoir était fait de dalles résistantes en pierre de York. Notre maison, le numéro 200, était presque en haut de la rue.

À l'intérieur, il y avait un vestibule exigu et sombre avec un alignement de portemanteaux ainsi qu'un gazomètre à pièces. Sur la droite s'ouvrait le séjour caractérisé par une lampe à pied, un combiné radio-pick-up, un canapé et deux fauteuils en skaï ainsi qu'un meuble vitrine.

Après l'entrée du séjour, il y avait un escalier très pentu qui menait à l'étage. En continuant tout droit, on arrivait au salon, la cuisine, la cour, la réserve à charbon, et les toilettes extérieures qu'on surnommait Betty.

L'étage comportait deux chambres, une de part et d'autre du palier. Quand j'ai eu quatorze ans, la pièce de gauche, humide et pleine de fuites, a été divisée en deux pour faire une petite chambre qui m'était destinée ainsi qu'une salle de bains. Jusque-là, nous n'avions qu'un seau à l'étage. Jusque-là, nous dormions tous dans la même pièce. Dans celle de droite, il y avait le lit double où dormait mon père, et où dormait ma mère si mon père n'y était pas, et un lit simple contre le mur pour moi. J'ai toujours été douée pour dormir.

Entre les lits se trouvait une petite table avec une lampe en forme de globe de mon côté ainsi qu'une petite ballerine lumineuse et tournante qui servait de lampe-réveil, et une lampe de chevet du côté de ma mère.

Mrs Winterson adorait les appareils électriques multifonctions très laids. Elle a été l'une des premières femmes à porter un corset chauffant. Malheureusement, en cas de surchauffe, il émettait un signal sonore pour prévenir l'utilisatrice. Le corset étant, par définition, sous sa combinaison, sa robe, son tablier et son manteau, elle ne pouvait pas faire grand-chose pour le refroidir si ce n'est retirer son manteau et sortir dans la cour. S'il pleuvait, elle devait se réfugier dans la Betty.

C'était de bons sanitaires ; blanchis à la chaux, exigus, avec une lampe de poche qui pendait au-dessus de la porte. J'y emportais des livres que je lisais en secret en prétextant que j'étais constipée. Une stratégie risquée car Mrs W était adepte des suppositoires et des lavements. Mais l'art, ça se paye...

La réserve à charbon n'était pas un lieu agréable ; elle était criblée de fuites, sale et froide. Je détestais qu'on m'y mette encore plus que de me retrouver enfermée dehors. Je tapais du poing contre la porte et je hurlais, en vain. Une fois, j'ai réussi à casser la porte, mais pour ça, j'ai eu droit à une raclée. Ma mère ne me battait jamais. Elle attendait que mon père rentre à la maison et alors elle lui disait combien de coups et avec quoi... la canne en plastique, le ceinturon, ou simplement le plat de la main.

Parfois, il s'écoulait toute une journée avant que je reçoive ma punition si bien qu'à mes yeux, le crime semblait déconnecté du châtiment qui m'apparaissait arbitraire et inepte. Je n'en respectais pas plus mes parents. Au bout d'un moment, j'ai cessé de craindre la punition. Elle n'a pas modifié mon comportement. Elle m'a poussée à les haïr, pas tout le temps, mais de la haine du faible ; des accès soudains qui retombaient et qui, avec le temps, ont fait le lit de notre relation. Une haine à base de charbon, parce que comme le charbon, elle ne produisait pas de grandes flammes, mais était attisée chaque fois qu'était commis un nouveau crime, chaque fois qu'un autre châtiment était infligé.

La classe ouvrière du nord de l'Angleterre était un monde souvent brutal. Les hommes battaient les femmes – ou, comme disait D. H. Lawrence, leur donnaient une « petite tape » – pour les remettre à leur place. Moins souvent, mais pas si rarement, les femmes battaient les hommes et si cela entrait dans la morale générale du « Je l'ai pas volée, celle-là » – ivrognerie, infidélité, argent du foyer dilapidé au jeu – alors les hommes acceptaient les coups.

On giflait les enfants presque tous les jours, mais les coups étaient moins courants. Les enfants se battaient tout le temps – garçons comme filles – et j'ai grandi sans trop m'attarder sur la douleur physique. J'avais l'habitude de frapper mes petites amies jusqu'à ce que je comprenne que c'était inacceptable. Même aujourd'hui, lors de grandes colères, je rêve de mettre KO la personne qui m'exaspère.

Je sais que cela ne résout rien et j'ai passé beaucoup de temps à décrypter ma propre violence qui n'est pas du genre inoffensif. Il y a des gens qui ne pourraient jamais commettre de meurtre. Je ne suis pas de ceux-là.

Il vaut mieux le savoir. Mieux vaut savoir qui on est et ce que l'on a en soi, ce dont on serait capable, peut-être, face à une provocation extrême.

Mon père s'est mis à frapper sa seconde femme quelques années après leur mariage. Lillian m'a appelée chez moi dans les Cotswolds et m'a dit : « Ton père a commencé à me jeter des objets à la figure. Alors je lui en ai jeté quelques-uns aussi. »

À l'époque, ils vivaient dans un pavillon rattaché à une maison de repos, lieu improbable pour la violence domestique, sans parler que mon père avait soixante-dix-sept ans. Je n'ai pas pris l'incident au sérieux. Que pouvaient-ils bien se lancer ? Leur dentier ?

Je sais qu'il battait ma mère avant que tous deux ne trouvent Jésus, et je sais que mon grand-père frappait ma mère et ma grand-mère, mais quand j'étais petite, mon père ne me battait que lorsque ma mère le lui ordonnait.

Le lendemain, j'ai fait le trajet de quatre heures jusqu'à Accrington, et nous avons envoyé papa acheter des *fish and chips*. Lillian a préparé du thé qu'elle m'a servi dans un gobelet en plastique. Il y avait de la vaisselle cassée partout.

« Mon service à thé, a dit Lillian, ou ce qu'il en reste… et que j'avais acheté avec mon argent, pas le sien. »

Elle était outrée, d'autant plus que Mrs Winterson avait collectionné la porcelaine Royal Albert toute sa vie – un service très vilain d'une vaisselle à l'ornementation sentimentale qui était exposé dans la vitrine du séjour. Lillian avait persuadé papa de le vendre et de s'en constituer un nouveau.

Lillian était couverte de bleus. Papa avait l'air penaud.

Je l'ai emmené en voiture au Trough of Bowland. Il aimait les collines et les vallées du Lancashire – nous les aimions tous les deux. Du temps où il était encore vigoureux, il m'installait sur le porte-bagages de son vélo et nous parcourions plus de quinze kilomètres pour arriver à Pendle Hill que nous arpentions toute la journée. Ce sont mes souvenirs les plus heureux.

Mon père était un taiseux – maladroit et mal à l'aise comme il était avec le langage –, contrairement à ma mère et moi qui avions la répartie aussi facile que furieuse dans nos disputes ou nos échanges. Mais je soupçonne que son silence était moins dû à sa nature qu'au style discursif à la témoin de Jéhovah de Mrs Winterson – en clair, un monologue qui n'a cessé qu'avec sa mort.

Je lui ai demandé ce qui s'était passé avec la vaisselle et il n'a rien dit pendant près d'une demi-heure, puis il a fondu en larmes. Nous avons bu du thé directement à la thermos et nous avons commencé à parler de la guerre.

Il avait participé au débarquement. Il était dans la première vague de l'assaut. Ils n'avaient pas de munitions, uniquement leur baïonnette. Il a tué six hommes avec sa baïonnette.

Il m'a raconté la fois où il était rentré à Liverpool pour une permission. Il était si fatigué qu'il s'était contenté d'entrer dans une maison abandonnée, avait arraché les rideaux et s'en était servi comme d'une couverture avant de s'affaler sur le canapé. À l'aube, un policier l'avait réveillé en le secouant par l'épaule – ne savait-il pas ce qui était arrivé ?

Papa avait regardé autour de lui, bouffi de sommeil. Il était toujours sur le canapé, sous les rideaux, mais la maison avait disparu. Elle avait été bombardée pendant la nuit.

Il m'a raconté la fois où son père lui avait fait parcourir les docks de Liverpool de long en large à la recherche d'un travail pendant la Dépression. Papa est né en 1919, le bébé qui fêtait la fin de la Première Guerre mondiale mais qui lui n'a pas été fêté. Ils ont tout bonnement oublié de s'occuper de lui. Il était la génération élevée à temps pour la guerre suivante.

Il avait vingt ans quand il a été appelé. Il n'avait connu que la négligence et la pauvreté, et savait qu'il devait frapper la vie avant qu'elle ne le frappe.

D'une certaine façon, tout ce qui constituait papa et qui était resté enfoui pendant des années était remonté à la surface. Et cela s'accompagnait de cauchemars où figurait Mrs Winterson durant les premiers temps de leur mariage.

« Je l'aimais vraiment..., répétait-il.

— Tu l'aimais, mais aujourd'hui, tu aimes Lillian et tu ne dois pas lui lancer la théière à la figure.

— Connie ne me pardonnerait jamais de m'être remarié.

— Papa, voyons. Elle serait contente de te savoir heureux.

— Non, c'est faux. »

Et je me suis dit, à moins que le paradis soit plus qu'un lieu, à moins qu'il provoque une greffe totale de personnalité, en effet, elle ne lui pardonnerait pas... mais je n'ai pas fait de commentaire. Au lieu de quoi, nous avons croqué du chocolat en silence. Puis il a déclaré : « J'ai peur.

— N'aie pas peur, papa.

— Non, non », acquiesce-t-il, rassuré, un petit garçon. Il a toujours été un petit garçon, et je suis contrariée de ne pas m'être occupée de lui, contrariée qu'il y ait tant d'enfants dont on ne s'occupe jamais et qu'on empêche donc de grandir. Ils vieillissent, mais ne grandissent pas. Pour ça, il faut de l'amour. Si vous avez de la chance, l'amour viendra plus tard. Si vous avez de la chance, vous ne frapperez pas l'amour au visage.

Il a promis de ne pas recommencer. J'ai emmené Lillian acheter un nouveau service.

« J'aime bien ces timbales... », a-t-elle dit. Et j'aime bien qu'elle appelle un mug une « timbale ». C'est un joli mot désuet – un objet du quotidien sonore, entre tambour et cymbale.

« J'en veux à Connie, dit-elle. Ils auraient dû l'enfermer pour ce qu'elle vous a fait à toi et à ton père. Tu sais qu'elle était folle, non ? Son obsession de Jésus, ces nuits blanches, te mettre à la porte, le revolver, les corsets et les citations sanglantes de la Bible collées partout. J'ai demandé à ton père de tout retirer, tu sais. Il t'a toujours aimée, mais elle ne l'a jamais laissé l'exprimer. Il n'a jamais voulu que tu partes.

– Il ne s'est pas battu pour moi, Lillian.

– Je sais, je sais, je le lui ai dit... et cette horrible maison... et cette porcelaine Royal Albert. »

Ma mère avait fait une mésalliance en épousant mon père. Cette mésalliance signifiait un avenir pauvre et sans perspective. Cette mésalliance voulait dire qu'il fallait montrer à tous les voisins que même si on ne s'en sortait pas mieux, on valait mieux qu'eux. Valoir mieux voulait dire posséder un meuble vitrine.

Chaque penny économisé atterrissait dans une boîte en fer étiquetée ROYAL ALBERT et chaque nouvel article Royal Albert trouvait sa place dans le meuble vitrine.

La gamme Royal Albert est décorée de roses à liseré doré. Inutile de préciser qu'on ne la sortait qu'à Noël et pour l'anniversaire de ma mère, en janvier. Le reste du temps, elle était *exposée*.

Nous avons tous été gagnés par la fièvre Royal Albert. J'ai économisé. Papa a fait des heures supplémentaires, et nous l'avons fait parce que toute exposition d'une assiette ou d'une saucière lui procurait ce qui, pour elle, s'approchait le plus du bonheur. Le bonheur était toujours de l'autre côté de la vitre, mais au moins elle pouvait regarder par la vitre, tel un prisonnier recevant la visite de l'être aimé.

Elle voulait être heureuse, et je crois que c'est en grande partie pour cela que je la faisais enrager autant. Je ne pouvais tout simplement pas me contenter de vivre dans la poubelle cosmique au couvercle fermé. Si sa chanson préférée était « Dieu les a effacés », la mienne était « Réjouissez-vous saints de Dieu ».

Je la chante encore à ce jour et je l'ai enseignée à tous mes amis ainsi qu'à mes filleuls, alors que c'est totalement ridicule, et en même temps, me semble-t-il, plutôt merveilleux. Voilà les paroles :

Réjouissez-vous saints de Dieu,
Il n'y pas d'inquiétude à avoir ;
Aucune raison d'avoir peur,
Aucune raison de douter ;
Souvenez-vous que Jésus est votre sauveur ;
Alors pourquoi ne pas lui faire confiance et crier,
Demain matin, vous regretterez de vous être angoissé.

En résumé, il y avait maman au piano qui chantait « Dieu les a effacés » et moi dans la réserve à charbon qui entonnais : « Réjouissez-vous saints de Dieu ».

Le problème avec l'adoption c'est qu'on ne sait jamais sur quoi on va tomber.

Notre vie à la maison était un peu étrange.

Je n'ai fréquenté l'école qu'à partir de l'âge de cinq ans parce qu'avant, nous vivions chez mon grand-père pour nous occuper de la grand-mère à l'agonie. Il aurait été trop compliqué d'ajouter l'école à cette équation.

À l'époque de la grand-mère agonisante, j'avais l'habitude de grimper dans son lit très haut installé dans le salon avec vue sur la roseraie. C'était une jolie pièce claire et j'étais toujours la première debout.

Comme ces petits enfants qui s'entendent si bien avec les personnes âgées, j'adorais aller dans la cuisine, monter sur un tabouret et me lancer dans la confection de sandwichs à la crème et à la confiture très salissants. C'était tout ce que ma grand-mère pouvait manger à cause de son cancer de la gorge. Je les aimais aussi, mais de toute façon, j'aimais manger tout court et en plus, à cette heure-ci, aucun Mort n'avait encore pris possession de la cuisine. Ou alors, seule ma mère pouvait les voir.

Les sandwichs prêts, je les portais jusqu'au grand lit très haut – je devais avoir autour de quatre ans –, je réveillais mamy et nous mangions ensemble en mettant de la confiture partout et nous lisions. Elle me faisait la lecture et j'en faisais de même pour elle. J'étais une bonne lectrice – bien obligé, quand vous commencez avec la Bible... mais même sans cela, j'ai aimé les mots très tôt.

Elle m'a acheté tous les *Orlando, the Marmalade Cat* de Kathleen Hale. Ce chat était si élégant et tellement orange.

Je garde un bon souvenir de ces temps-là. Un jour, la mère de mon père nous a rendu visite et on me l'a présentée comme « ta grand-mère ».

J'ai dit : « J'ai déjà une grand-mère, je n'en veux pas d'autre. »

J'ai fait beaucoup de peine à mon père et à ma grand-mère, prouvant une fois de plus que j'étais d'une nature diabolique. Mais personne n'avait pensé que dans mes petits calculs, avoir eu deux mères avait entraîné la disparition à jamais de la première. Pourquoi n'en irait-il pas de même avec deux grands-mères ?

L'idée de la perte m'effrayait tant.

C'est moi qui ai découvert ma grand-mère morte. Je ne savais pas qu'elle était morte. Je savais seulement qu'elle ne lisait pas d'histoire et ne mangeait pas son sandwich à la crème et à la confiture.

Ensuite nous avons fait nos bagages et nous avons quitté la maison de papy avec ses trois jardins et le bois pentu derrière.

Nous avons réemménagé à Water Street. Dans la maison deux-en-haut deux-en-bas.

C'est à partir de ce moment qu'a commencé la dépression de ma mère, je crois.

Durant les seize années où j'ai vécu à la maison, mon père était soit à l'usine, soit à l'église. C'était son schéma de vie.

Ma mère était debout toute la nuit et déprimée tout le jour. C'était son schéma de vie.

J'allais à l'école, à l'église, je me promenais dans les collines ou je lisais en cachette. C'était mon schéma de vie.

J'ai appris à vivre dans le secret très tôt. Pour dissimuler mes sentiments. Pour dissimuler mes pensées. Dès lors qu'il avait été déclaré que je sortais du Mauvais Berceau, tout ce que je faisais confortait ma mère dans cette croyance. Elle m'observait, à la recherche de signes de possession.

Le jour où je suis devenue sourde, elle ne m'a pas emmenée chez le médecin parce qu'elle savait que c'était soit Jésus qui me bouchait les oreilles dans une tentative de réformer mon âme détraquée, soit Satan qui me murmurait si fort au creux de l'oreille qu'il m'avait perforé le tympan.

Le fait que je devienne sourde à peu près au même moment où j'ai découvert mon clitoris n'a rien arrangé.

Mrs W était profondément vieux jeu. Elle savait que la masturbation rendait aveugle, et face à mon cas, il fallait donc en conclure que cela rendait également sourd.

Je trouvais cette analyse injuste car beaucoup de nos connaissances portaient des sonotones ou des lunettes.

La bibliothèque municipale avait une section entière de livres en gros caractères. J'ai remarqué qu'elle était située à côté des places individuelles réservées à l'étude. Sans doute que d'une chose à l'autre, il n'y avait qu'un pas.

Quoi qu'il en soit, je devais me faire opérer des végétations donc mes problèmes d'ouïe n'étaient liés ni à Jésus ni à Satan, ce qui faisait de ma nature vile la seule coupable restante.

Ma mère m'a emmenée à l'hôpital et m'a installée dans un lit en hauteur dans le service des enfants, j'en suis descendue immédiatement et j'ai couru après elle.

Elle avançait dans son manteau en crêpe polyester, grande, massive, solitaire, et je sens encore l'odeur du lino glissant sous mes pieds nus.

Panique. Je la sens monter à l'instant même. J'ai dû croire qu'elle me rendait pour que quelqu'un d'autre m'adopte.

Je me rappelle cet après-midi passé à l'hôpital, le moment de l'anesthésie où j'ai commencé à inventer l'histoire d'un lapin sans fourrure. Sa mère lui donne un manteau orné de pierres précieuses mais une fouine le lui vole alors que l'hiver arrive...

J'imagine qu'un jour, il faudra que je termine cette histoire...

Il m'a fallu beaucoup de temps pour comprendre qu'il existe deux types d'écriture ; celle que l'on écrit et celle qui nous écrit. Celle qui nous écrit est dangereuse. Nous allons là où nous ne voulons pas aller. Nous regardons où nous ne voulons pas regarder.

Après l'épisode du lapin et des végétations, j'ai été envoyée à l'école avec une année de retard. C'était angoissant parce que ma mère l'appelait le Bouillon de Culture — et quand je lui ai demandé ce que cela voulait dire, elle a répondu que c'était comme l'évier si elle ne mettait pas d'eau de Javel dedans.

Elle m'a dit de ne pas me mêler aux autres enfants parce qu'ils avaient sans doute survécu à l'eau de Javel — en tout cas, ils étaient tous très pâles.

Je savais déjà lire, écrire et faire des additions, mais il n'y avait rien de plus à apprendre à l'école. Malgré mes connaissances, j'avais toujours de mauvais résultats à la façon dont les enfants difficiles ont de mauvaises notes. J'avais accepté l'étiquette de *mauvaise élève*. C'était mieux que de ne pas avoir d'identité du tout.

La plupart du temps, je dessinais des représentations de l'Enfer que je rapportais à la maison pour que ma mère les admire. J'avais développé une technique formidable pour dessiner l'Enfer : coloriez une feuille de papier en faisant des blocs de toutes les couleurs de l'arc-en-ciel, puis prenez un pastel noir et recouvrez les couleurs. Ensuite, prenez une épingle et faites des dessins sur le papier. Les couleurs apparaissent là où le noir a été gratté. Spectaculaire et efficace. Surtout pour les âmes perdues.

Quand on m'a renvoyée du cours préparatoire pour me punir d'avoir mis le feu à la mini-cuisinière, la maîtresse, qui ne quittait jamais son tailleur en tweed noir parce qu'elle était en deuil pour l'Écosse, a dit à ma mère que j'étais autoritaire et agressive.

Ce que j'étais. Je frappais les autres gamins, garçons comme filles, et dès que je ne comprenais pas ce qu'on m'expliquait en classe, je quittais simplement la salle et mordais les maîtres s'ils essayaient de me faire revenir.

J'entends bien que mon comportement n'était pas parfait, mais ma mère croyait que j'étais possédée par le démon et la maîtresse faisait le deuil de l'Écosse. Difficile d'être normale dans ces conditions.

Je me réveillais toute seule le matin pour aller à l'école. Ma mère me laissait un bol de corn-flakes et du lait dans une bouteille isotherme. Nous n'avions pas de frigo et pendant une grande partie de l'année, nous n'en avions pas besoin – la maison était froide, le Nord est une région froide, et nous consommions sur-le-champ les produits que nous achetions.

Mrs Winterson racontait des histoires terribles sur les frigos – ils relâchaient des gaz qui vous donnaient des vertiges, les souris se coinçaient dans le moteur, les rats étaient attirés par les souris mortes prises dans le moteur... les enfants s'enfermaient dedans sans pouvoir en ressortir – elle connaissait une famille dont le benjamin était monté dans le frigo pendant une partie de cache-cache, et était mort de froid. Ils avaient dû le décongeler pour l'extirper de l'engin. Après quoi, les services sociaux leur avaient retiré la garde de leurs autres enfants. Je me demandais pourquoi ils n'avaient pas plutôt emporté le frigo.

Tous les matins en descendant à la cuisine, j'allais souffler sur les braises du feu pour l'attiser et lisais mon mot – il y avait toujours un mot. Le mot commençait par un rappel général concernant la toilette – MAINS, VISAGE, COU ET OREILLES – suivi d'une exhortation tirée de la Bible, telle que *Cherche l'Éternel*. Ou *Veille et prie*.

L'exhortation était chaque jour différente. Les parties du corps à laver étaient toujours les mêmes.

Quand j'ai eu sept ans, nous avons eu une chienne et j'avais la responsabilité de la promener autour du pâté de maisons et de la nourrir avant d'aller à l'école. La liste s'est réorganisée comme suit : LAVER, PROMENER, NOURRIR, LIRE.

À l'heure du dîner, comme on appelle le déjeuner dans le

Nord, je rentrais à la maison parce que durant les premières années, le collège était à côté de chez nous. Ma mère étant levée à cette heure-là, nous mangions de la tourte avec des petits pois et nous lisions la Bible.

Quand je suis entrée au lycée, situé plus loin, je ne pouvais pas revenir à la maison le midi et donc je ne déjeunais pas. Ma mère refusait qu'une personne extérieure mette le nez dans ses revenus, du coup, je ne pouvais pas accéder gratuitement à la cantine, alors que nous n'avions pas les moyens de la payer. En général, j'emportais deux tranches de pain blanc et un peu de fromage dans mon sac, c'est tout.

Personne ne trouvait ça étonnant – et ça ne l'était pas. Les enfants mal nourris étaient nombreux.

Nous faisions un vrai repas le soir parce que nous avions un potager dans un jardin ouvrier et que nos légumes étaient bons. J'aimais faire pousser des légumes – c'est encore le cas aujourd'hui, j'y trouve un plaisir apaisant. Nous avions des poules, et donc des œufs, mais comme nous ne pouvions acheter de la viande que deux fois par semaine, nous manquions de protéines.

Le jeudi soir, nous avions toujours droit à des oignons ou des patates bouillis du potager. Papa recevait sa paye le vendredi et le jeudi déjà, il ne restait plus d'argent. Pendant l'hiver, le gazomètre et l'électricité s'arrêtaient aussi le jeudi si bien que les oignons et les pommes de terre n'étaient pas tout à fait cuits et nous les mangions à la faible lumière de la lampe à pétrole.

Dans notre rue, tout le monde était au même régime. Les coupures d'électricité du jeudi étaient monnaie courante.

Nous n'avions pas de voiture, pas de téléphone et pas de

chauffage central. En hiver, à l'intérieur de la maison, les fenêtres se couvraient de givre.

Nous avions presque tout le temps froid, mais je ne me souviens pas que ça m'ait dérangée tant que ça. Mon père ne portait pas de chaussettes quand il était petit et nos pieds sinon le reste s'étaient adaptés à l'environnement.

Nous avions un feu à charbon que j'ai appris à préparer et allumer à cinq ans, dès que nous sommes revenues de la maison chauffée de papy à notre maison mitoyenne humide et pleine de courants d'air. C'est mon père qui m'a appris à faire un feu et j'étais si fière de moi, avec mes doigts brûlés et mes cheveux roussis.

C'était à moi de faire les tortillons de papier trempés dans le pétrole que l'on stockait dans une boîte à gâteaux hermétique. Papa ramassait le petit bois et le coupait. Le charbonnier, parce qu'il avait voulu épouser ma mère, lui faisait cadeau de ce qu'il appelait le poussier. Elle le prenait comme une insulte à sa bonne moralité, mais gardait le poussier.

Quand ma mère se couchait – vers six heures du matin – elle versait la poussière de charbon fine et goudronneuse sur le feu pour qu'il se consume lentement et reste chaud, et gardait le charbon pour que je puisse relancer une flambée à sept heures trente. Elle ne se couchait pas de la nuit pour écouter des émissions clandestines sur les Évangiles diffusées en Russie soviétique, de l'autre côté du rideau de fer. Elle faisait de la pâtisserie, cousait, tricotait, raccommodait, et lisait la Bible.

C'était une femme si solitaire. Une femme solitaire qui

rêvait que quelqu'un sache qui elle était. Je crois qu'aujourd'hui, je sais qui elle était, mais il est trop tard.

Est-il vraiment trop tard ?

Freud, l'un des grands maîtres du récit, savait que, contrairement à ce que suggère le temps linéaire, le passé n'est pas figé. On peut revenir en arrière. On peut reprendre les choses où on les a laissées. On peut réparer ce que d'autres ont brisé. On peut parler avec les morts.

Mrs Winterson a tourné le dos aux choses qu'elle ne pouvait pas réaliser.

L'une d'elle était de se construire un foyer.

Le philosophe roumain Mircea Eliade évoque le foyer – ontologique autant que géographique – à travers une belle expression : le « cœur du réel ».

Le foyer, nous dit-il, est à l'intersection de deux lignes – l'une verticale l'autre horizontale. Le plan vertical a le paradis, ou le monde des cieux, à un bout, et le monde des morts à l'autre. Le plan horizontal représente les va-et-vient de notre monde – notre propre circulation et celle des nuées d'autres humains.

Le foyer était le lieu de l'ordre. Un endroit où l'ordre des choses s'équilibre – le vivant et le mort –, l'esprit des ancêtres et des habitants actuels, l'arrêt et l'apaisement des va-et-vient.

Quitter le foyer ne peut advenir que s'il y a un foyer à quitter. Et l'éloignement n'est pas seulement géographique ou spatial ; il est également émotionnel – voulu ou non. Franc ou ambivalent.

Pour le réfugié, pour le sans domicile fixe, l'absence de ces coordonnées primordiales dans le positionnement du moi a de graves conséquences. Au mieux, on s'en accommode, on compense d'une façon ou d'une autre. Au pire, une personne déplacée, littéralement, ne sait pas comment remonter la pente parce qu'elle a perdu le nord. N'a plus de boussole. Le foyer est donc bien plus qu'un abri ; le foyer est notre centre de gravité.

Les peuples nomades emportent leur foyer avec eux – et ils ressortent ou reconstruisent les objets du quotidien d'un endroit à l'autre. En déménageant, nous emportons avec nous le concept invisible du foyer – mais c'est un concept très puissant. La santé mentale et l'équilibre émotionnel n'exigent pas que nous restions dans la même maison ou au même endroit, mais ils exigent toutefois une solide structure interne – et cette structure est construite en partie par ce qui est arrivé à l'extérieur. L'intérieur et l'extérieur de notre vie forment la coquille dans laquelle nous apprenons à vivre.

Le foyer était problématique pour moi. Il ne représentait pas l'ordre et n'incarnait pas la sécurité. Je suis partie de chez moi à seize ans, et à partir de là, je n'ai cessé de déménager jusqu'à ce que, presque par accident, je me fixe dans deux lieux, tous deux modestes, l'un à Londres et l'autre à la campagne. Je n'y ai jamais vécu avec personne.

Cela ne me satisfait pas complètement, mais la fois où j'ai vécu avec quelqu'un, pendant treize ans, je n'arrivais à tenir qu'en ayant beaucoup d'espace à moi. Je ne suis pas désordonnée, je suis organisée, je cuisine et fais le ménage sans rechigner, mais je tolère difficilement une autre présence. Je préférerais qu'il n'en soit pas ainsi, parce que j'aimerais vraiment vivre avec quelqu'un que j'aime.

Au fond, je crois que je ne sais pas comment m'y prendre.

Il vaut donc mieux que j'accepte mon besoin mal évalué de distance et d'intimité.

Mrs Winterson n'a jamais respecté mon intimité. Elle fouillait dans mes affaires, lisait mes journaux intimes, mes carnets, mes histoires, mes lettres. Je ne me sentais jamais en sécurité à la maison et quand elle m'a poussée à la quitter, j'ai eu l'impression d'être trahie. Le sentiment écœurant et pénible que je n'avais pas ma place et ne l'aurais jamais est aujourd'hui apaisé par le fait que les lieux où je vis m'appartiennent et que je peux y aller et venir à ma guise.

Je n'ai jamais eu la clé de la maison de Water Street, si bien que je dépendais des autres pour pouvoir y entrer – ou pas. Je ne sais pas pourquoi j'ai encore autant d'affection pour le pas des portes – cela semble pervers vu le temps que j'ai passé assise dessus, mais les deux endroits de la maison qui comptaient le plus pour moi à Accrington sont ceux dont je peux le moins me passer aujourd'hui.

Il s'agit du pas de la porte et de la cheminée.

Mes amies se moquent de moi en racontant que je ne ferme jamais la porte avant qu'il soit officiellement l'heure d'aller se coucher ou tant qu'il ne neige pas dans la cuisine. La première chose que je fais en me levant le matin est d'ouvrir la porte de derrière. Ensuite, en hiver, j'allume un feu.

Toutes ces heures passées assise par terre devant la porte d'entrée m'ont fait prendre conscience de ce qu'est l'espace liminal. J'adore la façon qu'ont les chats d'être à moitié dedans à moitié dehors, à la fois sauvages et domestiqués, parce que je suis moi-même sauvage et domestiquée. Ou plutôt, je suis domestiquée tant que la porte est ouverte.

J'imagine que là est la clé – plus personne ne va m'enfermer que ce soit dehors ou dedans. Ma porte est ouverte et c'est moi qui l'ouvre.

Le pas de la porte et la cheminée sont des espaces mythiques. Chacun revêt des aspects sacrés et cérémoniaux dans l'histoire de notre mythe. Franchir le seuil revient à pénétrer dans un autre monde – intérieur ou extérieur – et l'on n'est jamais sûr de ce que l'on va trouver derrière la porte jusqu'à ce qu'on la pousse.

Tout le monde fait des rêves où des portes familières s'ouvrent sur des pièces inconnues. On accède à Narnia par une porte pratiquée au fond d'une armoire. Dans l'histoire de Barbe-Bleue, il existe une porte qu'il est interdit d'ouvrir. Un vampire ne peut pas passer une porte protégée par de l'ail. Entrez dans la minuscule machine à remonter le temps du docteur Who et pénétrez dans de vastes espaces changeants.

La tradition qui veut qu'une mariée entre dans sa nouvelle maison dans les bras de son mari est un rite de passage ; on laisse un monde derrière soi pour s'engager dans un autre. En partant de chez nos parents, même à notre époque, nous faisons bien plus que de sortir de la maison avec une valise.

Notre propre porte peut être une chose merveilleuse ou un objet de crainte ; il est rare qu'elle ne soit qu'une simple porte.

La traversée vers le dedans ou le dehors, les différents mondes, les espaces lourds de sens, sont des coordonnées intimes que, dans mes fictions, j'ai tenté de rendre paradigmatiques.

Les histoires personnelles parlent aux autres quand elles deviennent des paradigmes autant que des paraboles. L'intensité d'une histoire – celle des *Oranges*, disons – s'épanouit dans un espace plus grand que celui qu'elle occupait dans le temps et l'espace. L'histoire passe de mon monde au vôtre. Nous nous retrouvons sur les marches du récit.

Pour moi, les livres sont un foyer. Les livres ne font pas un foyer – ils le sont, dans le sens où de même que vous les ouvrez comme vous ouvrez une porte, vous entrez dedans. À l'intérieur, vous découvrez un temps et un espace différents.

Il s'en dégage aussi de la chaleur – comme un âtre. Je m'assois avec un livre et je n'ai plus froid. Je le sais depuis les nuits glacées passées dehors.

Mrs Winterson a vécu dans la même maison sur Water Street de 1947 jusqu'à sa mort en 1990. Était-ce un sanctuaire ? Je ne le pense pas. Était-ce là qu'elle voulait être ? Non...

Elle détestait ce qui était petit et vilain, pourtant elle n'avait rien d'autre. Il m'est arrivé d'acheter de grandes maisons dans ma vie, simplement parce que j'essayais quelque chose à sa place. En fait, mes goûts sont plus modestes – mais vous ne l'apprenez pas tant que vous n'avez pas acheté et vendu pour le compte du fantôme de votre mère.

Comme la plupart des gens, j'ai longtemps vécu avec ma mère et mon père... c'est le début des *Oranges*, livre qui s'achève alors que la jeune protagoniste, appelons-la Jeanette, revient chez elle et découvre que rien n'a vraiment changé – à l'exception d'un nouvel orgue électronique censé enrichir les chants de Noël de quelques basses et de percussions, la vie est toujours la même –, la silhouette gigantesque de la mère voûtée à l'intérieur de la maison exiguë qu'elle remplit de vaisselle Royal Albert et d'appareils électriques, tenant les comptes de l'église dans un grand cahier à double entrée, fumant dans la nuit sous une brume de tue-mouches, ses clopes cachées dans une boîte marquée ÉLASTIQUES.

Comme chez bien des gens, quand j'y repense, la maison familiale est suspendue dans le temps ou plutôt, est désormais hors du temps parce qu'elle existe si clairement qu'elle ne change pas et est accessible par la simple porte de l'esprit.

J'aime que les sociétés préindustrielles et les cultures au fort système de croyances fassent la part entre deux sortes de temps – le temps linéaire qui est aussi cyclique parce que l'histoire se répète alors même qu'elle semble progresser, et le vrai temps libéré de l'horloge ou du calendrier, qui est le lieu où résidait l'âme autrefois. Ce temps véritable est réversible et récupérable. C'est pourquoi, dans les rites religieux de toutes natures, quelque chose qui est arrivé dans le passé est rejoué – les pâques juive et chrétienne, Noël, ou dans les temps païens, le solstice d'été et la mort du dieu. Par notre participation au rituel, nous nous extirpons du temps linéaire et entrons dans le temps véritable.

Le temps n'est vraiment limité que quand nous vivons dans un monde mécanisé. Alors, nous nous transformons en obsédés de la montre, en esclaves du temps. De même que les autres aspects de la vie, le temps devient uniforme et standardisé.

Quand j'ai quitté la maison à l'âge de seize ans, j'ai acheté un petit tapis. C'était mon monde portatif. Quelle que soit la pièce, quel que soit l'endroit où je séjournais de manière temporaire, je déroulais le tapis. C'était une carte de moi-même. Les autres ne le voyaient pas, mais ce tapis renfermait tous les lieux où j'avais vécu – quelques semaines, quelques mois. La première nuit que je passais dans un lieu, j'aimais m'allonger dans mon lit et regarder le tapis pour me rappeler que j'avais ce qui m'était nécessaire même si c'était très peu.

Il faut parfois vivre dans des conditions précaires, des lieux provisoires. Des endroits inappropriés. De mauvais endroits. Parfois, l'endroit qui vous mettra à l'abri ne vous aidera pas.

Pourquoi suis-je partie de la maison à seize ans ? Cela faisait partie de ces choix qui changent une vie. Avec le recul, je crois qu'à l'époque, je frôlais la déraison et que la réaction sensée aurait été de me taire, de continuer, d'apprendre à mieux mentir et de partir plus tard.

J'ai remarqué qu'agir sensément n'est une bonne idée que lorsque la décision est sans conséquence. Pour ce qui bouleverse l'existence, il faut prendre un risque.

Et voilà le choc – quand on prend le risque, que l'on fait ce qu'il faut faire, que l'on frôle la déraison et que l'on s'enfonce en territoire inconnu, que l'on abandonne loin derrière soi les odeurs familières et les lumières, à cet instant, ce n'est pas une grande joie ni une gigantesque énergie qui nous envahit.

Mais une profonde tristesse. Qui aggrave la situation.

C'est un temps de deuil. De perte. De peur. On se mitraille de questions. On touche sa cible, on se blesse.

Et les poltrons choisissent toujours ce moment pour sortir de leur trou et lancer : « Tu vois, je te l'avais bien dit. »

Bien sûr, ils ne vous avaient rien dit.

6

L'église

« Ce n'est pas une église – ce sont deux maisons mitoyennes qu'on a fusionnées. »

L'église pentecôtiste d'Elim, Blackburn Road, Accrington, a été le centre de ma vie pendant seize ans. Elle n'avait pas de bancs, ni d'autel, de nef, de chœur, de vitraux, de bougies, ni d'orgue.

Elle avait des chaises pliantes en bois, une chaire tout en longueur et pas très haute – plus comme une scène que l'habituelle loge sur pilotis –, un piano comme ceux qu'on trouve dans les pubs et des fonts baptismaux.

On remplissait ces derniers d'eau à l'occasion des baptêmes. De même que Jésus avait baptisé ses disciples dans le Jourdain, nous aussi nous pratiquions l'immersion complète des croyants dans un bassin profond dont l'eau devait être chauffée lentement dès la veille de l'office.

On tendait une petite boîte aux futurs baptisés pour qu'ils y placent leur dentier et leurs lunettes. Elle ne servait que pour les lunettes jusqu'au jour où Mrs Smalley a ouvert la bouche sous l'eau pour louer le Seigneur et a perdu son dentier du haut. Le pasteur ne savait pas nager, c'est donc un membre de la congrégation qui a dû plonger pour aller le récupérer – nous avons entamé un : « Je vous ferai pêcheurs d'hommes » en guise d'encouragement, mais par la suite, nous nous sommes dit que si perdre un dentier était de la malchance, en perdre deux ressemblerait à de la négligence. Après cet épisode, les baptêmes ont été conférés sans dentier, si dentier il y avait – ce qui était le cas pour la plupart des gens.

Il y a également eu un débat houleux pour savoir si les enterrements/crémations devaient se faire avec ou sans dentier.

Comme bien des groupes évangéliques, celui d'Elim croyait à la résurrection du corps à la dernière trompette – Mrs Winterson, elle, n'y croyait pas, mais n'a jamais rien dit. La question était, si vous vous étiez fait arracher les dents, ce qui était très à la mode jusque dans les années 60, est-ce que vous les récupériez à la dernière trompette ? Si oui, les dentiers gêneraient-ils ? Si non, seriez-vous obligé de passer l'éternité sans dents ?

Certains avançaient que ça n'avait pas d'importance parce que personne ne mangerait dans l'au-delà ; d'autres affirmaient au contraire que c'était très important parce que nous voulions être présentables pour Jésus…

Et ainsi de suite…

Mrs Winterson ne voulait pas que son corps ressuscite parce qu'elle ne l'avait jamais aimé, pas un jour, pas même une minute. Et elle avait beau croire à la fin des temps, elle ne trouvait pas la résurrection du corps scientifique. Lorsque je l'ai interrogée là-dessus elle m'a dit qu'elle avait vu les actualités Pathé relatant les bombardements de Hiroshima et Nagasaki, et savait tout sur Robert Oppenheimer et le projet Manhattan. Elle avait vécu la guerre. Son frère avait été dans l'aviation militaire, mon père avait fait l'armée – c'était leur vie, pas leur histoire. Elle m'a dit qu'après la bombe atomique, on ne pouvait plus croire à la masse et que tout n'était qu'une question d'énergie. « Cette vie n'est que masse. À notre mort, nous ne serons plus qu'énergie, c'est tout. »

J'y ai réfléchi pendant des années. Elle avait saisi une idée à la fois infiniment complexe et d'une absolue simplicité. Pour elle, les « choses du monde » qui disparaîtraient, selon l'Apocalypse, « les cieux et la terre roulés comme un livre », démontraient le passage inévitable de la masse à l'énergie. Son oncle, le frère bien-aimé de sa mère bien-aimée, était un scientifique. Mrs W était une femme intelligente, et au milieu de sa folie théologique, de ses opinions à l'emporte-pièce, de sa dépression retentissante et de son rejet des livres, du savoir et de la vie, elle avait vu la bombe atomique exploser et avait compris que la véritable nature du monde est l'énergie et non la masse.

Mais elle n'a jamais compris que l'énergie aurait pu faire partie de sa nature profonde durant sa vie sur terre. Elle n'était pas obligée d'être piégée dans la masse.

Les candidats au baptême portaient un drap blanc, l'air penaud ou désinvolte, et le pasteur leur posait cette question simple : « Acceptez-vous le Seigneur Jésus-Christ comme votre sauveur ? »

La réponse était : « Oui. » À cet instant, le candidat s'avançait dans l'eau, encadré par deux hommes forts, puis était totalement submergé – mimant la mort de son ancienne vie, reparaissant dans un jour nouveau. Une fois remis debout, dégoulinant, on lui rendait son dentier et ses lunettes et on l'envoyait se sécher dans la cuisine.

Ces baptêmes, très populaires, étaient toujours suivis d'un souper avec tourte de pommes de terre et *mincemeat*.

L'église d'Elim ne baptisait pas les nourrissons. Le baptême était réservé aux adultes, ou à ceux qui approchaient de l'âge adulte – j'avais treize ans. Personne ne pouvait être baptisé par notre église à moins d'avoir donné sa vie à Jésus et de comprendre les implications de cet engagement. L'injonction du Christ selon laquelle ses disciples doivent être nés deux fois, lors de la naissance naturelle et de la naissance spirituelle, correspond aux cérémonies d'initiation religieuse autant païennes que tribales. Il faut un rite de passage effectué en toute conscience, de la vie que l'on doit au hasard et aux circonstances à celle que l'on choisit.

Il y a des avantages psychologiques à choisir consciemment sa vie et son mode de vie – plutôt que de l'accepter passivement comme un cadeau animal vécu dans le désordre de la nature et du hasard. Cette « seconde naissance » protège la psyché en induisant du sens et une réflexion sur soi.

Je sais que ce processus a tôt fait de s'apparenter à une forme d'apprentissage par cœur où l'on ne choisit rien et où la première question posée, aussi idiote soit-elle, prend le pas sur un questionnement honnête. Mais le principe reste valable. J'ai vu beaucoup d'hommes de la classe ouvrière et de femmes – dont moi – vivre plus intensément, réfléchir davantage que cela n'aurait été possible sans l'église. Ces gens-là n'étaient pas instruits ; mais l'étude de la Bible les incitait à se creuser les méninges. Ils se retrouvaient après le travail pour se lancer dans des discussions bruyantes. L'impression d'avoir sa place dans le grand schéma du monde, un schéma qui les dépassait pourtant, leur prodiguait équilibre et raison.

Pour un être humain, une existence sans but n'a rien à voir avec la dignité de l'animal qui n'a pas conscience d'être au monde ; on ne peut pas se contenter de manger, dormir, chasser et se reproduire – nous sommes des créatures en quête de sens. L'Occident s'est débarrassé de la religion mais pas de nos élans religieux ; nous semblons avoir besoin d'un but plus élevé, de donner un sens à notre vie – l'argent, le loisir, le progrès social ne suffisent pas.

Il va nous falloir découvrir de nouveaux moyens pour trouver du sens – ces moyens ne sont pas encore clairement définis.

Mais pour les membres de l'église pentecôtiste d'Elim à Accrington, la vie regorgeait de miracles, de signes, de merveilles et de choses concrètes.

Le mouvement a été fondé en 1915 à Monaghan, en Irlande, par George Jeffreys qui, lui, était galois. Le nom d'Elim est tiré de l'Exode, XV, 27. Moïse avance péniblement dans le désert avec les Israélites, ils sont dans un état pitoyable, épuisés, et attendent un signe de Dieu lorsque soudain, *ils arrivèrent à Elim, où il y avait douze sources d'eau et soixante-dix palmiers : ils campèrent là, près de l'eau.*

Si une poule ne pondait pas, on priait pour elle et un œuf était sûr d'arriver. À Pâques, on ne manquait jamais de bénir les poules que beaucoup de gens élevaient ; les nôtres évoluaient dans notre jardin ouvrier, mais généralement, les autres les gardaient dans leur arrière-cour. Le passage d'un renard se transformait aussitôt en parabole sur les manières chapardeuses de Satan. Quand une poule ne pondait toujours pas malgré toutes nos prières, on la comparait à une âme se détournant de Jésus – fière et stérile.

S'il se met à pleuvoir alors que vous venez d'étendre votre linge – demandez à quelques fidèles de prier pour que souffle le vent qui le fera sécher. Puisque personne n'avait le téléphone, il n'était pas rare de passer chez les voisins à l'improviste pour demander de l'aide. Sauf Mrs Winterson – elle priait seule, et priait debout, préférant l'attitude du prophète de l'Ancien Testament à celle de la pécheresse à genoux.

Sa souffrance était son armure. Avec le temps, elle est devenue sa seconde peau. À partir de là, impossible de l'enlever. Elle est morte sans antidouleur et donc, dans la douleur.

Pour nous autres, pour moi, la certitude que Dieu n'était pas loin donnait du sens à la précarité de notre vie. Nous n'avions pas de compte en banque, ni de téléphone, pas de voiture, ni de toilettes dans la maison, pas vraiment de moquette, il n'y avait pas de sécurité de l'emploi et nous avions très peu d'argent. L'église était le lieu de l'entraide et des opportunités nées de l'imagination. Je ne connais personne, moi comprise, qui se soit senti piégé ou désespéré. Était-ce si grave de n'avoir qu'une paire de chaussures et pas assez à manger le jeudi soir à la veille de la paye ? *Mais cherchez premièrement le royaume de Dieu et sa justice et toutes ces choses vous seront données par-dessus...*

Bon conseil – si le royaume de Dieu est l'endroit de la valeur fondamentale, celui qui n'est pas contraint par les éléments du quotidien, si c'est ce que l'on aime pour ce que c'est...

Dans ce monde où tout doit être rentable et utile, le symbole du royaume de Dieu – il s'agit bien d'un symbole et non d'un lieu – se pose comme le défi lancé par l'amour à l'arrogance du pouvoir et aux illusions de la richesse.

Lundi soir – groupe des femmes
Mardi soir – étude de la Bible
Mercredi soir – prière
Jeudi soir – groupe des hommes/Black and Decker
Vendredi soir – groupe des jeunes
Samedi soir – réunion pour le renouveau de la foi
(en extérieurs)
Dimanche – toute la journée.

Les soirées des frères Black and Decker étaient des réunions d'ordre pratique pour rénover l'église ou pour donner un coup de main à l'un des frères chez lui. Celles pour le renouveau de la foi, le samedi soir, constituaient le pic de la semaine parce qu'en général, nous nous rendions dans une autre église ou, en été, nous rejoignions un chapiteau pour la croisade.

Notre église possédait un chapiteau et tous les étés nous voyagions avec la Croisade de Gloire. Mes parents avaient réitéré leurs vœux de mariage dans le chapiteau de la Croisade de Gloire plantée sur un lopin de terre sous le viaduc d'Accrington.

Ma mère adorait les Croisades de Gloire. Je doute qu'elle ait cru à la moitié de ce qu'elle était censée croire, et elle inventait une bonne part de la théologie. Mais je pense que la nuit où papa et elle ont trouvé le Seigneur sous le chapiteau de la Croisade lui a permis de mettre un terme à sa fuite en avant, de ne plus vouloir quitter le foyer avec sa petite valise pour ne jamais y revenir.

Tous les ans, dès que Mrs Winterson apercevait le chapiteau dans le champ et entendait l'harmonium jouer « Reste en ma demeure », elle m'attrapait par la main et disait : « Je sens Jésus. »

L'odeur de la toile de chapiteau (dans le Nord, il pleut toujours en été) et celle de la soupe qui chauffe pour après, l'odeur de papier humide que dégagent les feuilles où sont imprimés les chants – voilà l'odeur de Jésus.

Si vous voulez sauver des âmes – et qui ne le veut pas ? – alors le chapiteau semble la structure temporaire la mieux adaptée à ce projet. Elle symbolise la précarité de notre existence sur terre – sans fondations, susceptible d'être détruite à tout moment. C'est une histoire d'amour avec les éléments. Le vent souffle, la toile du chapiteau se soulève, qui parmi vous se sent seul et perdu ? Réponse : nous tous. L'harmonium joue « Quel ami nous avons en Jésus ».

Sous un chapiteau, vous êtes en empathie avec les autres même quand vous ne les connaissez pas. Le fait d'être réunis sous un chapiteau ensemble crée une sorte de lien, et quand vous voyez des visages souriants ou que vous sentez monter l'odeur de la soupe, et que votre voisin vous demande votre nom, alors il est fort probable que vous voudrez être sauvé. Jésus sent délicieusement bon.

Le chapiteau était ce que la guerre avait été pour tous ceux de la génération de mes parents. Non pas la vraie vie, mais un temps où les règles habituelles ne s'appliquaient pas. Vous pouviez oublier les factures et les soucis. Vous aviez un but commun.

Je les revois ; papa avec son gilet et sa cravate en tricot

posté à l'entrée qui serrait la main des nouveaux arrivants ; mère, au milieu de l'allée centrale sous le chapiteau, qui aidait les gens à trouver une place.

Et moi, qui distribuais la brochure des cantiques ou à la tête des choristes – on chante beaucoup dans les églises évangéliques, des vers courts, affûtés et joyeux aux mélodies entraînantes, faciles à mémoriser. Comme « Réjouissez-vous saints de Dieu ».

Il est difficile de comprendre ces contradictions sans les avoir vécues ; la camaraderie, la joie simple, la gentillesse, le partage, le plaisir d'avoir quelque chose à faire tous les soirs dans une ville qui n'offrait aucun divertissement – mettez cela en balance avec la cruauté du dogme, la rigidité pathétique qu'il y avait à interdire de boire, de fumer, de faire l'amour (ou, si vous étiez marié, de vous limiter au strict nécessaire), d'aller au cinéma (sauf pour voir Charlton Heston en Moïse dans *Les Dix Commandements*), de lire hors du cadre religieux, d'adopter un style vestimentaire original (même si l'on n'avait pas les moyens de cette originalité), de danser (sauf à l'église où l'extase divine passait par une sorte de gigue irlandaise), d'écouter de la pop, de jouer aux cartes, d'aller au pub – même pour un jus d'orange. La télé était autorisée, mais pas le dimanche. Le dimanche, on couvrait le poste avec un tissu.

Mais j'adorais les vacances et les Croisades de Gloire ; nous parcourions entre cinquante et soixante-dix kilomètres à vélo pour rejoindre le chapiteau des festivités et là, quelqu'un nous donnait une saucisse ou une part de tourte, puis c'était l'heure de la messe, et des heures plus tard, tous ceux qui avaient fait un long voyage se glissaient dans leur sac de couchage et dormaient par terre. Ensuite nous rentrions à la maison à vélo.

Mrs Winterson venait en car de son côté pour pouvoir fumer pendant le trajet.

Un jour, elle a emmené Tante Nellie avec elle. Toutes deux fumaient, mais s'étaient juré de ne le dire à personne. Tante Nellie, autrefois méthodiste, s'était convertie. Tout le monde l'appelait Tante Nellie même si elle n'avait pas de famille biologique. J'imagine qu'elle s'appelait déjà Tante Nellie à la naissance.

Elle vivait dans un de ces logements insalubres en pierre, propriétés de l'usine, avec une pièce au rez-de-chaussée et une autre à l'étage. Deux autres maisons se partageaient les toilettes extérieures. Ces dernières étaient très propres – comme il se doit – et à l'intérieur il y avait une photographie de la jeune reine Élisabeth II en uniforme militaire. Quelqu'un avait écrit DIEU LA BÉNISSE sur le mur.

Tante Nellie partageait les toilettes mais elle avait son propre robinet extérieur qui lui fournissait de l'eau froide, et dans la maison il y avait une cuisinière au charbon en fonte sur laquelle reposait une énorme bouilloire ainsi qu'un fer à repasser très lourd. On imaginait qu'elle utilisait le fer pour repasser ses vêtements et chauffer son lit le soir.

Elle était célibataire, avait les jambes arquées, les cheveux frisés, la maigreur d'une personne sous-alimentée et on ne la voyait jamais sans son manteau.

À sa mort, quand les femmes sont venues la préparer, elles ont dû couper les boutons du manteau pour le lui enlever et ont raconté que le tissu ressemblait plus à de la tôle ondulée qu'à du tweed.

Puis on a découvert qu'elle portait des sous-vêtements en laine, un corsage en liberty, des bas en laine et une sorte de combinaison en patchwork – je crois qu'avec les années, elle l'a rapiécée morceau après morceau. Elle avait une écharpe d'homme en soie épaisse autour du cou, invisible sous son manteau, une écharpe plutôt luxueuse qui a suscité beaucoup d'interrogations – avait-elle eu un beau ?

Si cela a été le cas, ce devait être durant la guerre. Son amie a expliqué que toutes les femmes avaient un beau durant la guerre – marié ou pas, c'était comme ça.

Peu importe l'explication, toujours est-il qu'elle portait l'écharpe, les sous-vêtements, le manteau et rien d'autre. Ni robe, ni jupe, ni chemisier.

On s'est demandé si elle avait été trop malade sur la fin pour avoir la force de s'habiller, même si on avait continué de la voir à l'église et au marché. Personne ne connaissait son âge.

C'était la première fois que quelqu'un montait à l'étage.

La petite pièce était nue – une fenêtre minuscule recouverte de papier journal pour garder la chaleur. Une carpette faite avec des chutes de tissu sur le parquet – un de ces tapis rugueux au toucher, comme un chien triste.

Un lit en métal croulant sous des édredons pleins de bosses – de ceux qui n'ont les plumes que d'un seul canard.

Un chapeau poussiéreux sur une chaise. Un seau pour la nuit. Au mur, une photo de Tante Nellie jeune femme portant une robe à pois noir et blanc.

Il y avait aussi un placard et dans le placard se trouvaient deux ensembles de sous-vêtements propres et rapiécés ainsi que deux paires propres de bas en laine épaisse. La robe à pois était suspendue à un cintre, enveloppée dans du papier kraft. Il y avait des coussinets anti-transpiration au niveau des aisselles remontant à l'époque où le déodorant n'existait pas. On se contentait de laver les coussinets en même temps que les bas chaque soir.

Nous avons cherché dans tous les recoins mais il n'y avait rien à trouver. Tante Nellie gardait son manteau parce qu'elle n'avait pas d'autres vêtements.

Les femmes l'ont lavée et lui ont mis sa robe à pois. Elles m'ont montré comment faire pour donner une belle apparence à un corps. Ce n'était pas mon premier cadavre – j'étais restée assise à manger des sandwichs à la confiture avec Mamy morte, et dans le Nord des années 60, le cercueil restait ouvert à la maison pendant trois jours et cela ne dérangeait personne.

Mais toucher un corps mort est étrange – encore aujourd'hui, je trouve cela étrange –, la peau change si rapidement et tout rétrécit. Pourtant, je ne laisserai jamais un étranger nettoyer et vêtir un corps que j'aime. C'est la dernière chose que vous puissiez faire pour quelqu'un et la dernière chose que vous puissiez faire ensemble – vos deux corps, comme avant. Non, ce n'est pas à un étranger de s'en charger...

Tante Nellie ne devait pas avoir beaucoup d'argent. Deux fois par semaine, elle accueillait autant d'enfants du voisinage qu'il était possible d'en faire entrer dans la pièce du bas, préparait de la soupe à l'oignon ou aux pommes de terre et les enfants apportaient leur propre écuelle qu'elle remplissait directement depuis la cuisinière.

Elle leur apprenait des chansons, leur racontait des histoires tirées de la Bible et trente ou quarante gamins aussi maigres qu'affamés faisaient la queue dehors, apportant à l'occasion de menus présents de la part de leur mère – des petits pains ou des *toffees* – qu'ils se partageaient. Ils avaient tous des poux. Ils l'aimaient tous et elle les aimait. Elle surnommait sa maisonnette humide et sombre avec son unique fenêtre et ses murs noirs le « Coin ensoleillé ».

Elle a été ma première leçon en amour.

J'ai eu besoin de leçons en amour. J'en ai toujours besoin parce que rien ne pourrait être plus simple, mais rien ne pourrait être plus compliqué que l'amour.

L'amour inconditionnel est ce qu'un enfant devrait attendre d'un parent même si cela marche rarement de cette façon. Je n'ai pas connu cet amour et j'étais une enfant très nerveuse, sur ses gardes. J'étais aussi une petite brute parce qu'il était hors de question qu'on me batte ou qu'on me voie pleurer. À la maison, je n'arrivais pas à me détendre, à disparaître dans un espace bourdonnant où je puisse être seule en présence des autres. Il y avait les Défunts qui erraient dans la cuisine, les souris qui jouaient les ectoplasmes, les besoins soudains de se mettre à jouer du piano, le vieux revolver, la montagne de chair qu'était ma mère, minée par une dépression interminable, les heures indues auxquelles elle se couchait – si papa travaillait de nuit, elle se mettait au lit et gardait la lumière allumée jusqu'au petit matin pour lire des textes sur la Fin des Temps –, il y avait aussi l'Apocalypse qui n'était jamais loin, si bien qu'au milieu de tout ça, la maison n'était pas un lieu de détente.

La plupart des gamins laissent quelque chose au Père Noël pour le moment où il descendrait par la cheminée. Moi je préparais des cadeaux pour les quatre cavaliers de l'Apocalypse.

« Ça sera pour cette nuit, maman ?

– Ne demande pas pour qui sonne la cloche. »

Mrs Winterson n'avait pas une personnalité apaisante. Demandez d'être rassurée et cela ne venait jamais. Je ne lui ai jamais demandé si elle m'aimait. Elle m'aimait les jours où elle était capable d'aimer. Je crois vraiment que c'est le mieux qu'elle pouvait faire.

Quand l'amour n'est pas fiable et qu'on est enfant, on suppose que c'est la nature de l'amour – sa qualité – de ne pas être fiable. Les enfants ne trouvent des défauts à leurs parents que beaucoup plus tard. L'amour que l'on reçoit au début est l'amour qui marque.

Je ne savais pas que l'amour pouvait avoir une continuité. Je ne savais pas qu'on pouvait compter sur l'amour humain. Le dieu de Mrs Winterson était le dieu de l'Ancien Testament et peut-être que modeler son comportement sur une divinité qui exige un amour absolu de ses « enfants » mais que ça ne dérange nullement de noyer (l'arche de Noé), de tuer quand ils l'exaspèrent (Moïse), et qui laisse Satan détruire la vie du plus innocent d'entre tous (Job), n'est pas très bon pour l'amour.

Certes, Dieu s'amende et se bonifie grâce à sa relation avec les êtres humains, mais Mrs Winterson n'était pas du genre interactif ; elle n'aimait pas les humains et elle ne s'est jamais amendée ni bonifiée. Elle me mettait plus bas que terre, puis elle faisait un gâteau pour se rattraper, et il arrivait souvent qu'après m'avoir enfermée dehors, nous allions acheter des *fish and chips* le lendemain soir, nous prenions place sur un banc et mangions à même le papier journal en regardant les gens passer.

Pendant une bonne partie de ma vie, je me suis comportée de la même façon parce que c'était ce que j'avais appris de l'amour.

Ajoutez à cela ma propre sauvagerie ainsi que mon intensité, et l'amour devient vite dangereux. Je ne me suis jamais droguée, mais je consommais de l'amour – du genre fou et imprudent, avec plus de mal que de bien, plus de cœur brisé que de paix. Je me battais, je cognais et le lendemain, j'essayais d'arranger les choses. Et je partais sans un mot ni aucun scrupule.

L'amour est vivant. Je n'ai jamais voulu de sa version fade. L'amour est la force. Je n'ai jamais voulu de sa version diluée. Je n'ai jamais reculé face à l'immensité de l'amour mais j'ignorais que l'amour pouvait être aussi fiable que le soleil. L'amour lui aussi se lève tous les jours.

Tante Nellie donnait de l'amour en faisant sa soupe. Elle ne voulait pas qu'on la remercie et elle n'accomplissait pas « une bonne action ». Les mardis et les jeudis, elle nourrissait d'amour tous les enfants qu'elle pouvait réunir, et si les quatre cavaliers de l'Apocalypse avaient démoli les toilettes extérieures et foncé dans la cuisine dallée de pierre avec leurs chevaux, elle leur aurait donné de la soupe.

Il m'arrivait d'aller dans sa maison minuscule, mais je ne

réfléchissais pas à ce qu'elle faisait. Ce n'est que plus tard, bien plus tard, alors que je tentais de réapprendre l'amour, que j'ai repensé à cette simple continuité et à sa signification. Peut-être que si j'avais eu des enfants j'y serais venue plus tôt, mais peut-être aurais-je fait du mal à mes enfants comme on m'a fait du mal.

Il n'est jamais trop tard pour apprendre à aimer.

Mais cela s'accompagne d'une grande peur.

À l'église, on nous parlait tous les jours de l'amour et un jour, après la soirée de prières, une fille plus âgée m'a embrassée. Pour la première fois, je connaissais la reconnaissance et l'amour. J'avais quinze ans.

Je suis tombée amoureuse – que pouvais-je faire d'autre ?

Nous étions comme n'importe quels gamins de la veine des Roméo et Juliette – rêvant l'une de l'autre, nous donnant des rendez-vous secrets, nous passant des mots à l'école, évoquant le jour où nous prendrions la fuite et ouvririons notre librairie. Au début, nous faisions l'amour chez elle parce que sa mère travaillait de nuit. Puis un soir, elle est venue chez moi, à Water Street, ce qui était très inhabituel puisque Mrs Winterson détestait recevoir des visiteurs.

Mais Helen est venue et dans la nuit, elle s'est glissée dans mon lit. Nous nous sommes endormies. Ma mère est entrée dans la chambre avec sa lampe de poche. Je me rappelle m'être réveillée avec la lumière dans les yeux, le faisceau comme ceux des phares d'une voiture balayant le visage d'Helen puis le mien. Le faisceau sur le lit étroit puis vers la fenêtre, comme un signal.

C'était un signal. C'était le signal de la fin du monde.

Mrs Winterson avait un goût prononcé pour l'eschatologie. Elle croyait à la Fin des Temps et organisait des répétitions pour être prête le moment venu. À la maison, nos états émotionnels frôlaient toujours le bord du gouffre. En général, les choses étaient définitives. On ne revenait pas dessus. Quand elle m'a surprise à voler de l'argent, elle a dit : « Je ne te ferai plus jamais confiance. » Elle ne m'a plus fait confiance. Quand elle a découvert que je tenais un journal intime, elle a dit : « Je n'ai jamais eu aucun secret pour ma mère... mais je ne suis pas ta mère, n'est-ce pas ? » Après ça, elle ne l'a plus jamais été. Quand j'ai voulu apprendre à jouer du piano, elle a dit : « À ton retour de l'école, j'aurai vendu le piano. » Ce qu'elle a fait.

Mais allongée dans le lit, à feindre de ne pas voir la lampe de poche, à feindre de dormir, avant de me replonger dans l'odeur d'Helen, je pouvais croire qu'il ne s'était rien passé – parce qu'à vrai dire, rien n'était arrivé. Pas encore.

Je ne savais pas qu'elle avait laissé Helen rester parce qu'elle cherchait des preuves. Elle avait intercepté une lettre. Elle nous avait vues nous tenir par la main. Elle avait vu la façon dont nous nous regardions. Son esprit corrompu était trop étriqué pour accepter l'espace net et libre que nous nous étions fabriqué.

Elle n'a rien dit le lendemain matin, ni pendant un certain temps. Elle m'adressait à peine la parole et se repliait souvent sur elle-même. Tout était calme, comme avant un raid aérien.

Puis le raid aérien a eu lieu.

C'était un dimanche matin comme les autres, à la messe. J'étais un peu en retard. J'ai remarqué que tout le monde m'épiait. Nous avons chanté, prié, puis le pasteur a déclaré que deux brebis du troupeau avaient commis un péché abominable. Il a lu le passage extrait des Romains, I, 26 : *Les femmes ont remplacé les rapports sexuels naturels contre des relations contre-nature...*

À peine a-t-il eu commencé que j'ai su ce qui allait arriver. Helen a éclaté en sanglots et s'est enfuie en courant. On m'a dit de suivre le pasteur. Il était patient. Il était jeune. À mon avis, il ne voulait pas d'ennuis. Contrairement à Mrs Winterson qui, en plus, avait une bonne partie de la vieille garde de son côté. Il y aurait un exorcisme.

Personne ne voulait croire qu'une fidèle de mon acabit pouvait avoir eu des rapports sexuels – avec une femme, par-dessus le marché – sans que le démon ne soit impliqué.

J'ai dit qu'il n'y avait pas de démon. J'ai dit que j'aimais Helen.

Mon acte de défi n'a fait qu'aggraver la situation. Je ne savais même pas que j'avais un démon en moi, à l'inverse d'Helen qui a aussitôt repéré le sien et a dit oui oui oui. Je lui en ai voulu à mort. L'amour avait-il si peu de valeur qu'on pouvait s'en débarrasser si facilement ?

La réponse était oui. Là où l'église s'est trompée, c'est qu'ils ont oublié que j'avais commencé ma petite vie par un abandon. À ma naissance, l'amour n'avait pas été assez fort, et à présent, il se déchirait. Je refusais de croire que l'amour était d'une matière si fragile. Si je m'y suis autant raccrochée, c'est qu'Helen, elle, avait lâché prise.

Papa n'a pas voulu être mêlé à l'exorcisme mais n'a pas

tenté de l'arrêter. Il a fait des heures supplémentaires à l'usine pendant que ma mère ouvrait la porte aux anciens pour l'office de prières et de renonciation. Ils s'occupaient des prières – je gérais la partie renonciation. Ils ont rempli leur contrat. Pas moi.

Le démon qui est censé surgir risque de mettre le feu aux rideaux ou de posséder le chien qu'il faudrait étrangler dès qu'il commencerait à baver. Il est arrivé que certains démons investissent des meubles. Il y avait dans notre entourage une chaîne stéréo possédée – chaque fois que la pauvre femme voulait écouter *Songs of Praise*, elle ne captait que des caquètements hystériques. Les lampes de la chaîne avaient été bénies et une fois remises en place, le démon avait disparu. De mauvaises soudures pouvaient avoir provoqué le phénomène, mais personne n'a mentionné ce détail.

Les démons font pourrir la nourriture, se tapissent dans les miroirs, vivent en groupes dans les Foyers de Vice – pubs et bureaux de paris – et ils aiment aussi les boucheries. À cause du sang...

Après trois jours passés enfermée dans le séjour, rideaux tirés, sans nourriture ni chauffage, je pouvais affirmer avec une quasi-certitude que je n'abritais pas de démon. Après trois jours durant lesquels on a prié pour moi par roulement et où l'on m'a empêchée de dormir plus de quelques heures d'affilée, j'ai commencé à croire que c'était l'enfer dans son entier, que mon cœur abritait.

À la fin de ce supplice, parce que je m'entêtais, un ancien m'a battue à plusieurs reprises. Ne comprenais-je pas que je pervertissais les relations sexuelles naturelles voulues par Dieu ?

J'ai dit : ma mère refuse de dormir dans le même lit que mon père – c'est ça, une relation sexuelle naturelle ?

Il m'a mise à genoux de force pour me faire regretter mes paroles et j'ai senti la bosse dans le pantalon de son costume. Il a essayé de m'embrasser. Il m'a dit que ce serait mieux qu'avec une fille. Beaucoup mieux. Il a mis sa langue dans ma bouche. Je l'ai mordue. Du sang. Beaucoup de sang. Trou noir.

Je me suis réveillée dans mon lit, dans la petite chambre que ma mère m'avait faite quand elle avait reçu une aide financière pour aménager une salle de bains. J'adorais ma petite chambre mais ce n'était pas un lieu sûr. J'avais les idées claires et nettes. C'était sans doute à cause de la violence de la faim mais j'étais sûre de ce que j'allais faire. Je me plierais à toutes leurs volontés, mais seulement en apparence. Derrière cette façade, je me construirais un autre moi – un moi qu'ils ne pourraient pas voir. Comme après la fois où elle avait brûlé mes livres.

Je me suis levée. Il y avait à manger. Je me suis nourrie. Ma mère m'a donné de l'aspirine.

J'ai demandé pardon. Elle a dit : « Chassez le naturel, il revient au triple galop.

– Tu parles de ma mère ?

– Elle allait avec des hommes à seize ans.

– Comment le sais-tu ? »

Elle n'a pas répondu. Elle a repris : « Tu ne quitteras pas cette maison tant que tu n'auras pas promis de ne jamais revoir cette fille.

– Je promets de ne jamais la revoir. »

Cette nuit-là, je suis passée voir Helen chez elle. Sa maison était plongée dans le noir. J'ai frappé à la porte. Personne n'a répondu. J'ai attendu et attendu encore et au bout d'un moment elle est sortie par la porte de derrière. Elle s'est adossée au mur blanchi à la chaux. Elle ne voulait pas me regarder.

Est-ce qu'ils t'ont fait du mal ? a-t-elle demandé.

Oui. Et à toi, ils t'ont fait du mal ?

Non... je leur ai tout raconté... Ce qu'on faisait...

C'est privé, ça ne leur appartient pas.

Il fallait que je leur dise.

Embrasse-moi.

Je ne peux pas.

Embrasse-moi.

Ne reviens plus. S'il te plaît ne reviens plus.

Je suis rentrée à la maison par le chemin le plus long pour que personne ne me voie repartir de chez Helen. La friterie était ouverte et j'avais assez d'argent. Je me suis acheté une portion de frites et me suis assise sur un muret.

Alors voilà – pas de Heathcliff, ni de Cathy, pas de Roméo et Juliette, pas d'amour bouclant la boucle telle une route autour du monde. Je pensais que l'on pouvait aller partout. J'ai pensé que l'on pouvait être la carte et le territoire, l'itinéraire et la boussole. Je pensais que nous étions le monde l'une pour l'autre. Je pensais...

Nous n'étions pas amantes, nous étions l'amour.

Je l'ai expliqué à Mrs Winterson – pas à ce moment-là, mais plus tard. Elle a compris. C'était une chose terrible à lui dire. Et c'est pour ça que je l'ai fait.

Mais cette nuit-là, ce n'était qu'Accrington et les lampa-daires et les frites et les bus et la longue marche jusqu'à la maison. Les bus d'Accrington étaient rouge, bleu et or, les couleurs du régiment du Lancashire Est – les Compagnons d'Accrington, célèbres pour leur petite taille, leur courage et leur malchance – qui a été laminé durant la bataille de la Somme. Les garde-boue des bus étaient peints en noir en signe de respect. Nous devons nous souvenir. Nous ne devons pas oublier.

M'écriras-tu ?

Je ne te connais pas. Je ne peux pas te connaître. S'il te plaît, ne reviens pas.

J'ignore ce qu'il est advenu d'Helen. Elle est partie étudier la théologie et a épousé un vétéran qui se préparait à devenir missionnaire. Je les ai croisés une fois, longtemps après. Elle était suffisante et névrosée. Il était sadique et sans charme. Enfin, c'était mon impression, et elle n'étonnera personne.

Après l'exorcisme, j'ai sombré dans une sorte de dépression aphasique. Souvent, j'emportais ma tente et allais dormir non loin de notre jardin ouvrier. Je ne voulais pas rester avec eux. Mon père était malheureux. Ma mère était dérangée. Nous étions des réfugiés dans notre propre vie.

7

Accrington

J'ai vécu dans une rue tout en longueur, la ville en bas, la colline en haut.

« La ville s'étend au pied de Hameldon Hill à l'est, de Haslingden Hills au sud, et trois rivières dévalent ces collines vers l'ouest, le nord-ouest et le nord pour converger non loin de la vieille église et de là, l'unique cours d'eau coule en direction de l'ouest vers l'Hyndburn. La ville s'est développée le long de la route reliant Clitheroe à Haslingden et le sud, route qui a été successivement baptisée Whalley Road, Abbey Road et Manchester Road. »

History of the County of Lancaster, Volume 6
William Farrer et J. Brownbill, 1911.

On a relevé la première mention d'Accrington dans le livre du Jugement dernier et apparemment, il s'agissait d'une clairière cernée de chênes. Le sol était surtout composé de cette glaise compacte dont les chênes raffolent. C'était un territoire de prés incultes – plus favorable à l'élevage de moutons qu'à l'agriculture – mais comme le reste du Lancashire, Accrington vivait grâce au coton.

James Hargreaves, l'illettré du Lancashire qui a inventé la machine à filer en 1764, a été baptisé et s'est marié à Accrington, alors qu'il venait d'Oswaldtwistle (prononcé *Ozeul-twizeul*). L'arrivée de cette machine, plus efficace que huit rouets, a marqué l'avènement des filatures du Lancashire et la mainmise de la région sur le commerce international du coton.

Oswaldtwistle était le bourg suivant sur la route venant d'Accrington et avait la réputation d'être un repère d'imbéciles et autres abrutis. On l'appelait Gobbin-Land, le pays de l'escarbille. Dans mon enfance, il s'y trouvait une usine qui fabriquait des biscuits pour chiens et les enfants de pauvres avaient l'habitude de traîner devant l'entrée pour récupérer des sacs remplis de chutes. Si vous crachez dessus et que vous les roulez dans du sucre glace, ils ont un vrai goût de biscuit.

Pour nous faire peur, les responsables de notre lycée de filles répétaient souvent que nous finirions à l'usine de biscuits pour chiens de Gobbin-Land. Cela n'empêchait pas les plus démunies d'entre nous d'apporter ces biscuits à l'école. Le problème était leur éloquente forme en os, si bien que l'école a dû bannir les biscuits pour chiens pendant un temps.

Ma mère étant snob, elle n'aimait pas que je fréquente les filles aux biscuits pour chiens originaires d'Oswaldtwistle. À vrai dire, elle n'aimait pas que je fréquente qui que ce soit, et me serinait : « Notre destin est d'être à part. » Ce qui dans sa bouche revenait à dire séparés de tout et tout le monde, sauf de l'église. Dans une petite ville du Nord où les nouvelles vont vite, maintenir cette séparation représentait un travail à plein temps. Mais ma mère avait du temps à tuer.

Nous passions devant Wollworths – « Un Foyer du Vice ».

Devant Marks & Spencer – « Les Juifs ont tué le Christ ». Devant les pompes funèbres et le marchand de tourtes – « Ils partagent un four. » Devant l'étal de gâteaux tenu par un couple au visage rond – « Inceste ». Devant l'animalerie – « Bestialité ». Devant la banque – « Usure ». Devant le centre d'informations sur les droits des citoyens – « Communistes ». Devant la crèche – « Mères célibataires ». Devant chez le coiffeur – « Vanité ». Devant le mont-de-piété où ma mère avait tenté un jour de vendre sa dernière dent en or massif et enfin nous arrivions au café Palatine pour des tartines grillées aux haricots.

Ma mère adorait les tartines grillées aux haricots du Palatine. C'était son luxe et elle économisait pour que nous y allions le jour du marché.

Le marché d'Accrington était un vaste marché en partie couvert où l'on criait beaucoup et où les étals débordaient de pommes de terre sales et de gros choux. Sur d'autres étals, il y avait des bacs pleins de produits ménagers – pas d'emballages, il fallait venir avec ses propres bouteilles pour l'eau de Javel ou l'encaustique. Ailleurs on vendait bulots, crabes et anguilles, et plus loin, on trouvait des biscuits au chocolat dans des sacs en papier.

On pouvait se faire tatouer ou se faire couper les cheveux pour moitié moins cher que chez le coiffeur, on pouvait acheter un poisson rouge. Les maraîchers criaient à tue-tête leurs bonnes affaires – « Je ne vous en offre pas un ni deux, mais trois pour le prix d'un. Qu'est-ce que ce s'ra, m'dame ? Sept pour le prix de deux ? Combien d'enfants vous avez ? Sept ? Il est au courant votre mari ? Qu'est-ce que vous m'dites là ? Tout est de sa faute. Heureux homme. Alors voilà pour vous et priez pour moi quand je serai mort... »

Ils organisaient aussi des démonstrations – « Non seulement cet appareil BA-LAYE ! Mais en plus, il AS-PIRE. Il nettoiera le haut de vos rideaux et l'arrière de votre four... Tout est dans les embouts. Comment ça, m'dame ? Elle vous revient pas, la tête de mon embout ? »

Quand le premier supermarché d'Accrington a ouvert, personne n'y allait parce que les prix avaient beau être bas, ils étaient fixes. Au marché, rien n'était gravé dans le marbre ; vous pouviez chicaner sur tout. Cela faisait partie du plaisir et le plaisir était dans le théâtre quotidien. Chaque étal offrait un spectacle. Même pauvre, obligé d'attendre la toute fin de journée pour vous payer à manger, vous passiez un bon moment au marché. Vous croisiez des connaissances, il y avait quelque chose à regarder.

Je ne suis pas une fanatique des supermarchés et je déteste y faire mes courses, même pour ce que je ne peux pas trouver ailleurs, comme la nourriture pour chat ou les sacs-poubelle. Je dois cette détestation surtout au fait qu'ils ont réduit à néant cette vie locale si intense. Aujourd'hui, l'apathie qui s'est infiltrée dans notre existence n'est pas que la conséquence d'un boulot ou de programmes télé chiants, mais de la perte de cette vie locale, les commérages, les rencontres, ces journées palpitantes, chaotiques, bruyantes où tout le monde est le bienvenu, avec ou sans argent. Et si vous n'aviez pas les moyens de chauffer votre maison, vous pouviez toujours aller au marché couvert. Tôt ou tard, quelqu'un vous paierait une tasse de thé. C'était comme ça.

Mrs Winterson n'aimait pas qu'on la voie courir après les bonnes affaires – elle laissait cela à mon père et préférait aller au café Palatine. Elle s'asseyait en face de moi près de la vitrine embuée, fumait ses cigarettes et réfléchissait à mon avenir.

« Quand tu seras grande, tu seras missionnaire.

— Où est-ce que j'irai ?

— Loin d'Accrington. »

Je ne sais pas pourquoi elle détestait autant Accrington mais c'était le cas et pourtant, elle ne l'a jamais quittée. Quand je suis partie, c'était comme si je l'avais soulagée d'un poids et trahie en même temps. Elle voulait que je sois libre, mais se donnait toutes les peines du monde pour que ça n'arrive pas.

Accrington n'est pas célèbre pour grand-chose. La ville possède la pire équipe de football jamais recensée – Accrington Stanley – ainsi qu'une grande collection de verre Tiffany offerte par Joseph Briggs qui, bien que né à Accrington, s'est débrouillé pour en partir et aller faire fortune à New York en travaillant pour Tiffany.

S'il y a des petits bouts de New York à Accrington, de bien plus gros morceaux d'Accrington sont à New York. Une des singularités d'Accrington est qu'on y fabrique les briques les plus solides au monde – résultat d'une argile à forte teneur en fer qui donne aux briques leur rouge éclatant si distinctif en même temps que leur incroyable résistance.

Ces briques sont connues sous le nom de Nori parce que quelqu'un a dit qu'elles étaient dures comme du fer et a tamponné le mot à l'envers par erreur, *iron* devenant *nori*, et le nom est resté.

Des milliers de ces briques ont été exportées à New York pour construire les fondations de l'Empire State Building avec ses quatre cent quarante-trois mètres de haut. Pensez à *King Kong* et pensez à Accrington. Les briques Nori ont permis au gorille géant de se balancer depuis l'antenne, Fay Wray dans le creux de la paume. On nous projetait souvent des séances spéciales de *King Kong* dans le petit cinéma de la ville et ils passaient toujours les actualités filmées racontant l'histoire de ces briques. Personne n'avait jamais été à New York, mais nous avions tous l'impression d'avoir participé à la renommée de la plus moderne des villes au monde et du plus grand immeuble jamais construit avec des briques d'Accrington.

Ces briques étaient aussi utilisées chez nous et pour des particuliers. Walter Gropius, l'architecte du Bauhaus, s'en était servi pour la seule résidence qu'il ait réalisée en Grande-Bretagne – le 66 Old Church Street, Chelsea, Londres.

Les gens n'admiraient pas autant le travail de Gropius que l'Empire State Building, mais tout le monde le connaissait. Nous autres, citoyens d'Accrington, avions de quoi être fiers.

L'argent provenant des filatures et de l'industrie du coton a permis de construire la halle du marché, la mairie, l'hôpital Victoria, le Mechanics' Institute et, plus tard, une partie de la bibliothèque municipale.

Cela paraît si facile aujourd'hui de détruire des bibliothèques – en en retirant tous les livres, en prétendant qu'ils sont inutiles à la vie des gens. On débat sans cesse sur la fracture sociale et l'aliénation, mais comment pourrait-il en être autrement quand nos idées de progrès démantèlent ces lieux qui ont tant fait pour rassembler la population ?

Dans le Nord, les gens se retrouvaient à l'église, au pub, au marché, et dans ces bâtiments philanthropiques où ils pouvaient poursuivre leur éducation et élargir leurs centres d'intérêt. À présent, à l'exception peut-être du pub, il ne reste rien.

D'un point de vue personnel, la bibliothèque m'a ouvert une porte vers l'ailleurs. Il y a eu d'autres portes – sans ornements ni budget municipal, des portes basses et secrètes.

Il y avait une vieille brocante pleine de bric-à-brac sous le viaduc d'Accrington, tenue par le dernier parent des chiffonniers du dix-neuvième siècle. Celui-ci parcourait les rues de la ville presque toutes les semaines avec une voiture à bras et les gens y déposaient ce dont ils ne voulaient plus et marchandaient ce qu'ils voulaient emporter en échange. Je n'ai jamais su comment s'appelait cet homme, mais il avait un petit Jack-Russell du nom de Nip perché sur la voiture, qui aboyait et gardait tout ce bazar.

Sous le viaduc, se trouvait une porte en acier digne d'une prison avec une poignée que d'un seul côté. En entrant, vous empruntiez un passage momifié sous des matelas en crin de cheval à moitié foutus. Le Chiffonnier les suspendait à des crochets de boucherie comme des carcasses, en passant la pointe des crochets dans les ressorts.

Un peu plus loin, le passage s'ouvrait sur une petite pièce qui vous soufflait des exhalaisons au visage. Celles-ci provenaient d'une chaufferette à flamme – de laquelle surgissait un violent jet de gaz et de feu – que le Chiffonnier utilisait pour rester au chaud.

Sa boutique était de celles qui vendaient des landaus d'avant-guerre avec des roues grandes comme des meules et des capotes en toile sur des armatures d'acier. La toile était moisie et déchirée, et parfois, le Chiffonnier faisait sortir la tête d'une poupée en porcelaine de sous la capote, ses globes oculaires vernis lançant un regard aussi mauvais que méfiant. Il stockait des centaines de chaises dont presque toutes avaient un pied en moins, telles les survivantes d'une fusillade. Il avait des cages à canaris rouillées et des animaux en peluche tout pelés, des couvertures tricotées et des dessertes roulantes. Il avait des baignoires en fer-blanc et des planches à laver, des essoreuses et des bassins hygiéniques.

Si vous arriviez à vous frayer un chemin entre les lampes frangées de style victorien et les couvertures en patchwork orphelines, si vous rampiez sous les buffets en noyer sans portes et les bancs d'église coupés en deux, si vous parveniez à vous faire tout petit pour dépasser les tombes chaudes, sèches et étouffantes de lits encore tuberculeux, et les draps qui pendaient comme des fantômes – le linge perdu de ces générations de chômeurs qui vendaient tout et dormaient dans des sacs – tout cela pris sur le dos de la misère, et donc, si vous pouviez pousser jusque-là et au-delà des tricycles d'enfants à une roue, des chevaux à bascule sans crinière, des ballons de foot crevés avec leurs lacets croisés en cuir sale, alors vous arriviez aux livres.

ChatterBox Annual, 1923. *The Gollywog News*, 1915. *Empire for Boys*, 1911. *Empire for Girls... The Astral Plane*, 1913. *Comment s'occuper d'une vache. Comment s'occuper d'un cochon. Comment s'occuper de son logis.*

Je les adorais – la vie y était si simple – vous décidiez de ce dont vous vouliez vous occuper – bétail, ferme, épouse, abeilles – et les livres vous expliquaient comment vous y prendre. Cela contribuait à vous donner confiance...

Au milieu de tout ça, tel le buisson ardent, se trouvaient les éditions complètes de Dickens, des sœurs Brontë et de sir Walter Scott. Comme elles étaient bon marché, je les ai achetées – je me faufilais dans ce labyrinthe après le travail, sachant que le Chiffonnier serait là et passerait ses disques d'opéra antédiluviens sur un tourne-disque avec des boutons en bakélite et un bras qui se déplaçait tout seul pour rejoindre la surface noire et tournante du vinyle.

What is life to me without thee ?	Qu'est la vie sans toi ?
What is left if thou art dead ?	Que reste-t-il si tu es morte ?
What is life ; life without thee ?	Qu'est-ce que la vie ; la vie sans toi ?
What is life without my love ?	Qu'est-ce que la vie sans mon amour ?
Eurydice ! Eurydice !	Eurydice ! Eurydice !

Une interprétation de Kathleen Ferrier – la contralto originaire de Blackburn, à huit kilomètres d'Accrington. La standardiste qui avait gagné un concours de chant et connu un succès aussi grand que celui de Maria Callas.

Mrs Winterson avait entendu chanter Kathleen Ferrier à la mairie de Blackburn, et elle aimait jouer ses airs au piano. Souvent, elle interprétait dans un style tout personnel le fameux aria tiré de l'*Orfeo* de Gluck – « Qu'est-ce que la vie sans toi ? »

Nous n'avions pas de temps à consacrer à la mort. La guerre, plus l'Apocalypse, plus la vie éternelle rendaient la mort ridicule. Mort/vie. Quelle importance du moment qu'on avait une âme ?

« Tu as tué combien d'hommes, papa ?

– Je ne me rappelle pas. Vingt. J'en ai tué six avec ma baïonnette. Ils donnaient des balles aux officiers et à nous, ils disaient : "Fixez vos baïonnettes, on n'a pas de balles." »

Le débarquement. Mon père a survécu. Contrairement à tous ses camarades.

Durant la guerre précédente, la Première Guerre mondiale, lord Kitchener avait décrété que des amis faisaient de meilleurs soldats. Accrington a trouvé le moyen d'envoyer sept cent vingt de ses hommes – les Compagnons d'Accrington – à Serre, en France. Ils se sont entraînés dans les collines au-dessus de chez nous et ils sont partis pour devenir des héros. Le 1er juillet 1916, la bataille de la Somme les a exposés en lignes régulières qui n'ont pas faibli alors même que les mitrailleuses des Allemands les décimaient. Cinq cent quatre-vingt-six d'entre eux sont morts ou ont été blessés.

Chez le Chiffonnier, je m'asseyais près du tourne-disque. C'est lui qui m'a fait lire un poème sur un soldat mort. Il a dit que c'était de Wilfred Owen, un jeune poète tué en 1918. Je connais maintenant le début mais ce n'était pas le cas à l'époque… en revanche, je ne pouvais pas oublier la fin…

Et dans ses yeux/La lumière des froides étoiles, très vieilles, très pâles/ En des cieux différents.

Je passais beaucoup de temps dehors, la nuit – rentrant à pied ou condamnée à rester sur le pas de la porte – et je passais donc beaucoup de temps à regarder les étoiles et à me demander si elles avaient l'air différentes vues d'ailleurs.

Les yeux de ma mère étaient comme de froides étoiles. Elles appartenaient à un ciel différent.

Parfois, quand elle n'avait pas dormi de la nuit, elle attendait qu'ouvre l'épicerie du coin et elle faisait de la crème aux œufs. Les matins de crème aux œufs me rendaient nerveuse. Quand je rentrais de l'école, je ne trouvais personne à la maison – papa travaillait et elle avait opéré une de ses Disparitions. Ces jours-là, j'empruntais l'allée de derrière, escaladais le mur et allais voir si elle avait laissé la porte de derrière ouverte. Quand il s'agissait d'une Disparition, et c'était généralement le cas, la crème aux œufs m'attendait sous un torchon ainsi qu'un peu d'argent pour aller acheter des tourtes.

L'ennui était que la porte d'entrée étant fermée à clé, je devais grimper par-dessus le mur de derrière avec les tourtes en priant pour ne pas les réduire en bouillie. Oignons et pommes de terre pour moi, viande et oignons pour papa quand il rentrerait.

Chez le marchand, ils devinaient toujours quand elle avait Disparu.

« Connie reviendra tantôt, pour sûr. Elle revient toujours. »

C'était vrai. Elle revenait toujours. Je ne lui ai jamais demandé où elle allait et je l'ignore encore aujourd'hui. Je ne mange plus jamais de crème aux œufs.

Accrington regorgeait de petits commerces. Les gens utilisaient leur rez-de-chaussée et vivaient à l'étage. Il y avait des boulangeries, des traiteurs, des primeurs et des confiseries pleines de rangées de bocaux avec des bonbons à l'intérieur.

La meilleure confiserie était tenue par deux dames qui étaient peut-être amantes, ou pas. L'une était plutôt jeune et l'autre, plus âgée, était affublée d'un passe-montagne – pas de ceux qui couvrent entièrement le visage, mais un passe-montagne quand même – qu'elle n'enlevait jamais. Elle avait de la moustache, aussi. Mais beaucoup de femmes avaient de la moustache à cette époque. À ma connaissance, les femmes ne se rasaient pas du tout et il a fallu que j'arrive à Oxford en ressemblant à un loup-garou pour que je pense à m'épiler.

Mais je soupçonne ma mère d'avoir vu *Faut-il tuer Sister George ?* (1968) où Beryl Reid joue une lesbienne hommasse, braillarde et sans scrupule qui harcèle avec sadisme sa jeune compagne blonde prénommée Childie. C'est un film magnifique et dérangeant, mais peu susceptible de gagner Mrs W à la cause des droits des homosexuels.

Elle adorait aller au cinéma, même si c'était interdit et qu'elle ne pouvait pas se le payer. Chaque fois que nous passions devant l'Odéon, elle examinait les affiches attentivement, et je me dis que lorsqu'elle traversait une de ses phases de Disparition, il lui arrivait peut-être d'aller au cinéma.

Peu importe le fond de l'histoire, un jour, on m'a interdit d'aller à la confiserie. C'était un coup dur parce que les deux dames me donnaient toujours des oursons en plus. Quand je harcelais Mrs Winterson à ce sujet, elle disait que ces femmes étaient des marchandes de passions contre-nature. À l'époque, je croyais que cela voulait dire qu'elles mettaient des produits chimiques dans leurs bonbons.

Mon autre commerce préféré, lui aussi interdit, était les débits de boissons où des femmes, foulard sur la tête, venaient avec leur filet à provisions pour acheter des bouteilles de bière brune.

Ces lieux avaient beau être prohibés, c'était pourtant là que Mrs W se fournissait en cigarettes et il n'était pas rare qu'elle m'y envoie avec pour instruction de dire « qu'elles sont pour ton papa ».

En ce temps-là, toutes les bouteilles d'alcool étaient consignées et il ne m'a pas fallu longtemps pour voir que les caisses de retours étaient déposées à l'arrière du magasin et qu'il était facile de me faire de la monnaie en en chipant une ou deux que je prétendais ensuite « rapporter ».

Les débits de boissons étaient pleins d'hommes et de femmes qui juraient, parlaient de sexe et pariaient sur des lévriers, ce qui rendait ces lieux, en plus de l'argent facile que je m'y faisais et de leur odeur d'interdit, très attrayants.

Quand j'y repense aujourd'hui, je me demande pourquoi j'avais le droit d'acheter des cigarettes dans ces débits de boissons et pas le droit d'acheter des bonbons à un couple de femmes qui, même si l'une d'elles ne se départissait jamais de son passe-montagne, étaient heureuses ensemble.

Je pense que Mrs Winterson avait peur du bonheur. Jésus était censé vous rendre heureux, mais ce n'était pas le cas, et si par-dessus le marché vous attendiez une Apocalypse qui n'arrivait jamais, alors vous ne pouviez qu'être déçu.

Elle pensait que le bonheur était synonyme de nuisance/mal/péché. Ou que c'était tout bonnement idiot. À l'inverse, le malheur paraissait vertueux.

Mais il y avait des exceptions. Le chapiteau évangélique était une exception, au même titre que la porcelaine Royal Albert et que Noël. Elle adorait Noël.

À Accrington, un gigantesque sapin était planté devant la halle du marché et l'Armée du Salut y exécutait des chants de Noël pendant une bonne partie du mois de décembre.

Noël était la période de l'année où le troc était roi. Nous proposions des choux de Bruxelles de notre jardin, des pommes spéciales compote enveloppées dans du papier journal, et le meilleur du cherry annuel produit avec les cerises Morello de la cour mises à macérer six mois au fond du placard qui conduit au royaume de Narnia.

Nous échangions nos denrées contre de l'anguille fumée, craquante comme du verre pilé, ainsi qu'un pudding moulé dans un torchon – un pudding à l'ancienne fait selon les règles de l'art, dur comme un boulet de canon et semé de fruits, comme l'œuf d'un oiseau géant. On le coupait en tranches qui ne s'émiettaient pas, puis on versait dessus du cherry qu'on faisait flamber, et mon père éteignait les lumières pendant que ma mère apportait le gâteau dans le séjour.

Les flammes lui éclairaient le visage. Le feu de la cheminée nous éclairait mon père et moi. Nous étions heureux.

Tous les 21 décembre, ma mère enfilait son manteau, mettait son chapeau et sortait – elle ne disait pas où elle allait – tandis que mon père et moi suspendions entre les moulures du plafond et le lustre les guirlandes de papier crépon que j'avais fabriquées. Ma mère semblait toujours revenir sous une averse de grêle, même si ce n'était peut-être que sa météorologie intime. Elle rapportait une oie qui dépassait à moitié de son sac, la tête avec son cou flasque reposant sur le côté comme un rêve dont il serait impossible de se souvenir. Elle me tendait l'ensemble, oie et rêve, pour que j'aille le plumer au-dessus d'un seau. On gardait les plumes pour rembourrer ce qui en avait besoin et la graisse épaisse pour faire rissoler les pommes de terre durant l'hiver. En dehors de Mrs W qui avait un problème à la thyroïde, nous étions tous minces comme des fils. La graisse d'oie n'était pas de trop.

Noël était le seul moment de l'année où ma mère sortait en faisant comme si le monde extérieur était davantage qu'une vallée de larmes.

Elle s'habillait et assistait aux concerts de l'école auxquels je participais – ce qui voulait dire mettre le manteau de fourrure de sa mère et son bibi à plumes. Le vêtement et l'accessoire dataient plus ou moins de 1940 et nous étions dans les années 1970 mais elle avait du panache, se tenait toujours bien droite, et comme le Nord dans son intégralité a évolué dans la mauvaise décennie jusque dans les années 1980, personne ne remarquait rien.

Les concerts se voulaient extrêmement ambitieux ; la première partie offrait une partition audacieuse comme le *Requiem* de Fauré ou le *Choral de Saint Antoine* qui exigeaient toute la puissance de la chorale et de l'orchestre plus un soliste ou deux de l'orchestre Hallé de Manchester.

Nous avions une prof de musique qui jouait du violoncelle avec le Hallé. C'était une de ces femmes électriques prises au piège d'une génération, à moitié géniales et à moitié folles parce que justement, elles sont prises au piège. Elle voulait que ses élèves connaissent la musique – la chantent, la jouent et ne fassent pas de compromis.

Elle nous terrifiait. Si elle jouait du piano lors de la fête de l'école, elle choisissait du Rachmaninov, ses cheveux noirs flottant au-dessus du clavier du Steinway, ses ongles toujours rouges.

L'hymne de l'école d'Accrington était « Louons maintenant les grands hommes », un choix on ne peut plus inapproprié pour une école de filles, mais qui a contribué à faire de moi une féministe. Où étaient les femmes célèbres – ou n'importe quelle femme – et pourquoi n'avaient-elles droit à aucune louange ? Je me suis jurée de devenir célèbre et de recevoir les honneurs mérités quand je reviendrais.

Cette perspective paraissait hautement improbable vu que j'étais une très mauvaise élève, inattentive et difficile, que mes carnets de notes ne s'amélioraient pas d'une année sur l'autre. Je n'arrivais pas à me concentrer et je ne comprenais pas grand-chose à ce qu'on me racontait.

Je n'étais bonne que dans un domaine : les mots. J'avais lu plus, beaucoup plus que tous les autres et connaissais le fonctionnement des mots comme ces garçons qui sont naturellement doués en mécanique.

Mais c'était Noël, l'école était illuminée et Mrs Winterson portait son manteau de fourrure et son chapeau à plumes, mon père était propre et rasé de près, je marchais entre eux et tout semblait normal.

« C'est ta maman ? a demandé quelqu'un.

– Presque », j'ai répondu.

Des années plus tard, quand je suis revenue à Accrington à la fin de mon premier trimestre à Oxford, il neigeait et, venant de la gare, je remontais à pied la rue tout en longueur en comptant les lampadaires. Alors que j'approchais du 200 Water Street, je l'ai entendue avant même de la voir, dos à la fenêtre, très droite, très grosse, qui jouait sur son orgue électronique tout neuf – « Au cœur du sombre hiver », avec un riff jazzy et des cymbales.

Je l'ai regardée par la fenêtre. Il y avait toujours eu une vitre entre nous – une barrière réelle bien que transparente – mais la Bible ne dit-elle pas que ce que nous voyons est semblable à une image obscure reflétée par un miroir ?

C'était ma mère. Ce n'était pas ma mère.

J'ai appuyé sur la sonnette. Ma mère s'est à moitié tournée. « Entre, entre, la porte est ouverte. »

8

L'Apocalypse

Mrs Winterson n'était pas une femme accueillante. Si quelqu'un frappait à la porte elle accourait dans l'entrée et donnait des coups de tisonnier par la fente prévue pour le courrier.

Je lui ai rappelé que les anges viennent souvent déguisés et elle a rétorqué que c'était vrai, mais qu'ils ne venaient pas affublés de vêtements en crêpe polyester.

Une partie du problème résidait dans l'absence de salle de bains, ce qui lui faisait honte. Peu de gens en avaient mais je n'étais pas pour autant autorisée à inviter des copines de l'école à la maison de peur qu'elles veuillent aller aux toilettes – elles seraient donc obligées d'aller dehors – et découvrent que nous n'avions pas de salle de bains.

En fait, ce n'était pas le plus grave. Le grand défi, pour les infidèles, n'était pas d'affronter des toilettes extérieures balayées de courants d'air, mais ce qui se trouvait à l'intérieur.

Les livres étaient bannis mais nous vivions dans un monde de l'écrit. Mrs Winterson écrivait des exhortations qu'elle collait partout dans la maison.

Sous mon portemanteau, un panneau disait : PENSE À DIEU PLUTÔT QU'AU CHIEN.

Au-dessus de la cuisinière à gaz, sur un papier d'emballage, il y avait : L'HOMME NE VIVRA PAS QUE DE PAIN.

Mais dans les toilettes extérieures, juste au niveau du regard quand on passait la porte, se trouvait une grande pancarte. Ceux qui se levaient lisaient : NE PAS S'ATTARDER AUX AFFAIRES DU SEIGNEUR.

Ceux qui s'asseyaient lisaient : IL FERA FONDRE TES ENTRAILLES TELLE DE LA CIRE.

Elle prenait ses désirs pour des réalités ; ma mère avait des problèmes de transit. Problèmes qui étaient liés au pain blanc sans lequel elle ne pouvait pas vivre.

Quand je partais pour l'école, ma mère glissait des citations des Saintes Écritures dans mes chaussures de hockey. Au déjeuner, il y avait un rouleau de papier tiré de la Boîte à Promesses à côté de chacune de nos assiettes. La Boîte à Promesses était remplie de phrases de la Bible recopiées sur de petits papiers roulés, comme les blagues que l'on trouve dans les papillotes à Noël, mais sérieuses. On met les rouleaux de papier debout, on ferme les yeux et on en prend un au hasard. Le message pouvait être rassurant : QUE VOTRE CŒUR NE SE TROUBLE NI NE S'EFFRAIE. Ou terrifiant : JE SUIS UN DIEU JALOUX QUI PUNIS L'INIQUITÉ DES PÈRES SUR LES ENFANTS.

Plaisant ou déprimant, c'était de la lecture et je ne voulais faire que ça, lire. Nourrie de ces mots qui pleuvaient sur moi, ils sont devenus des indices. Mis bout à bout, je savais qu'ils pourraient me mener ailleurs.

Les seules occasions où Mrs Winterson aimait répondre à la porte étaient quand elle savait que les mormons allaient passer. Elle attendait dans l'entrée, et avant qu'ils aient fait retomber le heurtoir, elle avait ouvert grand la porte et agitait la Bible en les menaçant de la damnation éternelle. Ce qui troublait beaucoup les mormons qui croyaient avoir le monopole de la damnation éternelle. Mais Mrs Winterson était une meilleure candidate pour l'emploi.

De temps en temps, si elle était d'humeur sociable et qu'on frappait à la porte, elle laissait le tisonnier de côté, me faisait sortir par-derrière et remonter l'allée en courant pour jeter un coup d'œil dans la rue et voir qui se présentait. Je revenais à toute vitesse avec l'information et là, elle décidait si oui ou non elle laisserait la personne entrer – ce qui entraînait de grandes vaporisations de tue-mouches pendant que j'allais ouvrir la porte. Entretemps, découragé par l'absence de réponse, le visiteur avait déjà descendu la moitié de la rue que je devais dévaler à mon tour pour le rattraper, après quoi, ma mère faisait semblant d'être surprise et heureuse.

Je m'en moquais ; cela me donnait l'opportunité de monter ensuite à l'étage avec un livre interdit.

Je crois que Mrs Winterson a été lettrée, à une époque. Quand j'avais autour de sept ans, elle m'a lu *Jane Eyre*. Le livre était jugé convenable parce qu'il y avait un pasteur – St John Rivers – qui souhaitait ardemment devenir missionnaire.

Mrs Winterson lisait à voix haute, tournait les pages. Il y a cet incendie terrible à Thornfield Hall lors duquel Mr Rochester perd la vue, mais dans la version de Mrs Winterson, Jane se désintéresse de son amant désormais aveugle ; elle épouse St John Rivers et ils partent ensemble dans une mission. Il m'a fallu attendre de lire moi-même *Jane Eyre* pour découvrir ce qu'avait fait ma mère.

Et elle était si douée pour inventer le texte dans le style de Charlotte Brontë au fur et à mesure qu'elle tournait les pages.

Le livre a disparu quelques années plus tard – peut-être ne voulait-elle pas que je le lise.

J'ai supposé qu'elle cachait les livres comme elle cachait tout le reste, y compris son cœur, mais notre maison étant minuscule, je l'ai passée au peigne fin. L'une comme l'autre n'arrêtaient pas de mettre la maison sens dessus dessous. Était-ce pour trouver les preuves qui nous accableraient mutuellement ? Je crois que oui – elle parce que je lui étais fatalement inconnue et qu'elle me craignait. Moi parce que je n'avais aucune idée de ce qui manquait mais sentais ce manque dans le manque.

Nous nous tournions autour, prudentes, abandonnées, pleines de désir. Nous nous rapprochions mais jamais assez et aussitôt, nous nous repoussions de manière définitive.

J'ai bien trouvé un livre, mais j'aurais préféré ne pas tomber dessus ; il était caché dans la commode sous une pile de linge en flanelle et il s'agissait d'un manuel de sexualité des années 50 intitulé *Comment combler votre mari.*

Ce tome terrifiant explique sans doute pourquoi Mrs Winterson n'a pas eu d'enfants. Il comportait des diagrammes en noir et blanc, des listes, toutes sortes de conseils et la plupart des positions ressemblaient à de la réclame pour Twister, un jeu pour enfants très acrobatiques.

En réfléchissant aux horreurs de l'hétérosexualité, j'ai compris que cela ne servait à rien que je plaigne mes parents ; ma mère n'avait pas lu le livre – peut-être l'avait-elle ouvert une fois et l'avait aussitôt écarté en mesurant l'ampleur de la tâche. Le livre n'était pas corné, en parfait état, intact. Conclusion, mon père a dû faire sans, et comme je doute fort qu'ils aient jamais couché ensemble, il n'a donc pas eu besoin de passer ses nuits avec Mrs W, pénis dans une main, manuel dans l'autre, pendant que sa femme suivait les instructions.

Je me souviens qu'elle m'avait raconté qu'un jour, peu après leur mariage, mon père était rentré soûl à la maison et qu'elle lui avait fermé l'accès à la chambre. Il avait défoncé la porte et alors, elle avait jeté par la fenêtre son alliance qui avait fini sa course dans la gouttière. Il était allé la repêcher. Elle avait pris le bus de nuit pour Blackburn. Cette histoire était censée illustrer le pouvoir de Jésus d'améliorer un mariage.

La seule éducation sexuelle que ma mère m'ait jamais donnée était l'injonction : « Ne laisse jamais un garçon te toucher En Bas. » Je ne comprenais pas à quoi elle faisait référence. Elle semblait parler de mes genoux.

Les choses auraient-elles été plus simples si j'étais tombée amoureuse d'un garçon plutôt que d'une fille ? Sans doute que non. J'avais pénétré dans son lieu d'épouvante – la terreur du corps, son mariage irrésolu, l'humiliation de sa mère face à la rudesse et aux trahisons amoureuses de son père. Le sexe la dégoûtait. À présent, quand elle me voyait, elle voyait le sexe.

J'avais fait une promesse. De toute façon, Helen était partie. Mais j'étais devenue quelqu'un qui voulait être nu avec quelqu'un d'autre. Quelqu'un qui avait aimé connaître la peau, la sueur, les baisers, l'orgasme. Je voulais le sexe et je voulais la proximité.

Il y aurait inévitablement une autre amante. Elle le savait. Elle me surveillait. Elle a rendu la chose inévitable.

J'avais passé mon brevet et ne m'en étais pas très bien tirée. J'avais raté quatre matières, en avais réussi cinq, et mon école avait fermé ou était plutôt devenue un établissement polyvalent qui avait réduit son nombre de classes. C'était en partie dû à la politique d'éducation mise en place par le gouvernement travailliste. J'ai finalement pu m'inscrire dans un lycée technique pour préparer mon bac, et non sans grognements, Mrs Winterson avait donné son accord, pourvu que je travaille sur les marchés le soir et le samedi pour rapporter de l'argent à la maison.

J'étais contente de quitter le collège pour repartir sur des bases saines. Personne ne me croyait capable de grand-chose. Aux yeux des autres, ce qui brûlait au fond de moi ressemblait à de la colère et à des ennuis potentiels. Ils ne savaient pas combien de livres j'avais lus ni ce que j'écrivais dans les collines durant les longues journées que je passais seule. Au sommet de la colline qui surplombait la ville, je voulais voir plus loin que quiconque. Ce n'était pas de l'arrogance ; c'était du désir. Je n'étais que désir, désir de vie.

Et j'étais seule.

Mrs Winterson avait réussi dans ce domaine ; sa propre solitude, impossible à percer, avait commencé à tous nous enfermer.

C'était l'été et le temps des vacances annuelles à Blackpool.

Ces vacances consistaient en un trajet en car jusqu'à la fameuse ville balnéaire et une semaine dans une pension à l'écart – nous ne pouvions pas nous payer une vue sur la mer. Mère restait assise dans une chaise longue une bonne

partie de la journée à lire des ouvrages à sensation sur l'Enfer, et mon père se promenait. Il adorait marcher.

En soirée, nous allions jouer sur les machines à sous. Ce
n'était pas considéré comme un véritable jeu d'argent. S'il
nous arrivait de gagner, nous allions manger des *fish and chips*.

Enfant, tout cela me plaisait et je pense aussi que nous
étions heureux, durant ces brèves vacances annuelles et insou-
ciantes. Mais notre vie s'était assombrie. Depuis l'exorcisme
de l'année précédente, nous avions tous été malades.

Ma mère n'a plus quitté le lit pendant des jours, obligeant
mon père à dormir en bas parce qu'elle disait qu'elle vomissait.

Puis elle a été prise de crises maniaques durant lesquelles
elle restait debout toute la journée et toute la nuit, à tri-
coter, faire des gâteaux, écouter la radio. Papa a continué
d'aller travailler – il n'avait pas le choix – mais a cessé de
fabriquer des objets. Autrefois, il modelait des animaux en
argile qu'il cuisait ensuite dans un four céramique à l'usine.
Désormais, il ouvrait à peine la bouche. Personne ne parlait. Et nous étions censés partir en vacances.

Je n'avais pas eu mes règles. Une mononucléose m'avait
vidée de mes forces. J'aimais me rendre au lycée technique
et travailler sur les marchés, mais je dormais dix heures par
nuit, et pour la première fois, qui ne serait pas la dernière,
j'ai commencé à entendre assez distinctement des voix qui
n'étaient pas dans ma tête. C'est-à-dire qu'elles se présen-
taient elles-mêmes comme étant hors de ma tête.

J'ai demandé à rester à la maison.

Ma mère n'a rien dit.

Le matin du départ, ma mère a fait deux valises, une
pour mon père et une pour elle, et ils sont partis. Je les ai

accompagnés jusqu'à l'arrêt du car. J'ai demandé la clé de la maison.

Elle a dit qu'elle n'avait pas assez confiance en moi pour me laisser la maison. Je pouvais rester chez le pasteur. Ils s'étaient arrangés.

« Tu ne m'as rien dit.

— Je te le dis maintenant. »

Le car est arrivé. Les gens ont commencé à monter dedans.

« Donne-moi la clé, c'est là que je vis.

— Nous rentrons samedi.

— Papa...

— Tu as entendu ce qu'a dit Connie... »

Ils sont montés dans le car.

Je fréquentais une fille qui était encore au collège – mon anniversaire étant fin août, j'étais toujours la plus jeune de ma classe. Cette fille, Janey, qui elle était du mois d'octobre, était donc la plus vieille de sa classe – académiquement, nous avions un an d'écart, mais à peine quelques mois du point de vue de l'âge. Elle entrerait au lycée à l'automne. J'étais très attachée à elle, mais j'avais très peur de l'embrasser. Elle avait du succès auprès des garçons et sortait avec l'un d'eux. Mais c'était moi qu'elle voulait voir.

Je suis allée chez elle, lui ai raconté ce qui s'était passé, et sa mère qui était une femme bien m'a laissée dormir dans leur caravane garée devant la maison.

J'étais hors de moi. Nous sommes sorties nous promener et j'ai arraché le portail d'une ferme de ses gonds et l'ai jeté dans la rivière. Janey a passé un bras autour de moi. « Et si on entrait par effraction ? C'est chez toi de toute façon. »

Cette nuit-là, nous avons escaladé le mur qui s'élevait au fond de la cour. Mon père gardait quelques outils dans un petit appentis, j'y ai trouvé une pince-monseigneur ainsi qu'un pied-de-biche et nous avons forcé la porte de la cuisine.

Nous étions à l'intérieur.

Nous étions comme des gamines. Nous *étions* des gamines. Nous avons réchauffé des tourtes à la viande Fray Bentos – elles étaient vendues dans des plats en forme de soucoupes – et nous avons ouvert des boîtes de petits pois. Il y avait une conserverie dans notre ville et leurs produits étaient donc bon marché.

Nous buvions de ce breuvage que tout le monde adorait appeler salsepareille – cela avait un goût de réglisse et de mélasse, c'était noir, piquant et vendu dans des bouteilles sans étiquette sur un étal du marché. J'en achetais chaque fois que j'avais de l'argent, j'en achetais aussi pour Mrs Winterson.

La maison avait belle allure. Mrs Winterson avait fait de la décoration. Elle était experte en mesure et pose de papier peint. Mon père avait pour tâche de mélanger la pâte à colle, couper les lais de papier selon ses instructions et les lui passer tout en haut de l'échelle pour qu'elle puisse les dérouler, les poser et enfin, retirer les bulles d'air avec sa grande brosse.

Naturellement, l'opération portait sa signature. Un de ses TOC imposait que le travail se poursuive jusqu'à ce qu'il soit terminé.

Je rentrais à la maison. Elle était perchée sur la grande échelle en chantant « Ton ancre résistera-t-elle aux tourments de la vie ».

Mon père voulait dîner parce qu'il devait aller travailler,

mais ce n'était pas un problème car son repas était gardé au chaud dans le four.

« Tu descends, Connie ?

– Pas tant que je n'aurai pas fini. »

Mon père et moi étions assis dans le salon et nous mangions notre hachis parmentier en silence. La grosse brosse émettait des *fffff fffff* au-dessus de nos têtes.

« Tu ne veux rien manger, Connie ?

– Ne vous occupez pas de moi. Je prendrai un sandwich sur l'échelle. »

Il fallait donc faire le sandwich et le lui passer, comme on nourrit un animal dangereux dans une réserve. Elle était assise là, son foulard sur la tête pour protéger sa permanente, le haut du crâne frôlant le plafond, et mangeait son sandwich en nous regardant de haut.

Papa partait travailler. L'échelle se déplaçait légèrement autour de la pièce sans qu'elle en descende. Je montais me coucher et quand je me levais pour aller à l'école le lendemain matin, elle était en haut de l'échelle, avec une tasse de thé.

Avait-elle passé la nuit sur son perchoir ? Avait-elle grimpé dessus en m'entendant descendre ?

Le salon avait été refait.

Janey et moi étions des filles au regard sombre et intense même si Janey riait plus que moi. Son père avait un bon emploi mais il craignait de le perdre. Sa mère travaillait et ils étaient quatre enfants. Elle était l'aînée. Si son père se retrouvait au chômage, elle devrait quitter l'école et se mettre à gagner de l'argent.

Autour de nous, tout le monde payait en liquide et quand il n'y avait pas de liquide, c'était qu'il n'y avait pas d'argent. En emprunter revenait à choisir le chemin de la ruine. À sa mort en 2008, mon père n'avait aucune carte de crédit. Il n'avait qu'un compte dans une société de crédit immobilier uniquement destiné à ses économies.

Janey savait que son père avait contracté un emprunt et qu'un homme passait récupérer l'argent tous les vendredis. Cet homme lui faisait peur.

Je lui ai dit de ne pas avoir peur. J'ai dit que viendrait un jour où nous n'aurions plus jamais peur.

Nous nous sommes tenues par la main. Je me demandais ce que ça faisait d'avoir une maison à soi où l'on soit libre d'aller et venir, où les visiteurs seraient les bienvenus, où l'on n'aurait plus jamais peur...

Nous avons entendu la porte d'entrée s'ouvrir. Des chiens aboyaient. Puis quelqu'un a violemment poussé la porte du salon. Deux dobermans se sont précipités dans la pièce en grognant, griffant le sol à coups de pattes et reculant. Janey a poussé un cri.

Les dobermans étaient suivis du frère de ma mère – Oncle Alec.

Mrs Winterson avait deviné que je retournerais à la maison. Elle savait que j'escaladerais le mur de derrière. Elle avait payé un voisin pour la prévenir à sa pension, à Blackpool. Le voisin m'avait vue, était entré dans la cabine téléphonique, avait appelé Blackpool et parlé à ma mère. Ma mère avait appelé son frère.

Elle le détestait. Leur seul point commun était la haine qu'ils se portaient. Il avait hérité du garage de leur père tandis qu'elle n'avait rien eu. Elle avait joué les infirmières pour sa mère, s'était occupée pendant des années de mon grand-père, lui avait préparé ses repas, fait ses lessives et il ne lui avait légué qu'une misérable maison et pas un penny. Son frère possédait un garage et une station-service qui marchaient très bien.

Il m'a ordonné de partir. J'ai refusé. Il m'a dit que j'y serais bien obligée quand il lancerait les chiens à mes trousses. Il était sérieux. Il m'a traitée d'ingrate.

« J'avais bien dit à Connie qu'il fallait pas adopter. On sait jamais sur quoi on tombe.

— Va te faire foutre.

— Qu'est-ce que tu viens de dire ?

— Va te faire foutre. »

Beigne. En plein visage. Cette fois, Janey pleurait pour de bon. J'avais la lèvre fendue. Oncle Alec était écarlate, furieux.

« Je te donne cinq minutes et si je te trouve encore ici quand je reviens, tu regretteras d'être née. »

Mais je ne l'avais encore jamais regretté et je n'allais pas commencer à cause de lui.

Il est sorti, je l'ai entendu monter dans sa voiture et démarrer le moteur. Je l'entendais qui tournait. Je suis montée à l'étage, j'ai emporté des vêtements, puis j'ai pris une grosse quantité de conserves de la Réserve de Guerre, que Janey a mises dans son sac.

Nous sommes reparties en escaladant le mur de derrière pour qu'il ne nous voie pas. Qu'il entre en trombe au bout de ses cinq minutes et qu'il hurle dans le vide.

Je me sentais froide à l'intérieur. Je n'éprouvais rien à l'intérieur. J'aurais pu le tuer. Je l'aurais tué. Je l'aurais tué et je n'aurais rien ressenti.

Les parents de Janey étaient sortis et sa grand-mère gardait les plus jeunes. Les garçons étaient couchés. J'étais assise par terre dans la caravane. Janey est entrée, m'a serrée dans ses bras et m'a embrassée, avec un vrai baiser.

Alors j'ai pleuré et tout en nous embrassant nous nous sommes déshabillées et nous sommes glissées dans le petit lit de la caravane, et je me souvenais, mon corps se rappelait l'impression d'être quelque part et d'y être tout entier – sans méfiance, sans inquiétude, sans que votre esprit soit ailleurs.

Nous sommes-nous endormies ? Sûrement. Des phares de voiture ont balayé la caravane. Ses parents étaient de retour. J'ai senti mon cœur s'emballer, mais les phares n'étaient pas un avertissement. Nous étions en sécurité. Nous étions ensemble.

Elle avait de très beaux seins. Tout était beau chez elle, le triangle fourni de poils noirs à la fourche de ses cuisses, les poils noirs sur ses bras et un trait qui allait de son ventre à son pubis.

Le lendemain matin, nous nous sommes réveillées tôt et elle a dit : « Je t'aime. Je t'aime depuis des lustres.

– J'avais tellement peur.

– N'aie pas peur. Plus maintenant. »

Et sa limpidité était comme de l'eau, fraîche et profonde et transparente au point qu'on en voyait le fond. Pas de culpabilité. Pas de peur.

Elle a parlé de nous à sa mère qui lui a conseillé de ne rien dire à son père et de faire en sorte qu'il ne l'apprenne pas.

Nous avons pris nos vélos. Après avoir parcouru plus de trente kilomètres, nous avons fait l'amour sous une haie.

Janey avait la main couverte de sang. Mes règles avaient recommencé.

Le lendemain, nous sommes allées jusqu'à Blackpool à vélo. Je me suis présentée à ma mère et lui ai demandé pourquoi elle avait fait ça. Pourquoi elle m'avait enfermée dehors ? Pourquoi est-ce qu'elle ne me faisait pas confiance ? Je ne lui ai pas demandé pourquoi elle ne m'aimait plus. L'amour était un mot que nous ne pouvions plus utiliser entre nous. Ce n'était pas un simple tu m'aimes ou tu m'aimes pas ? L'amour n'était pas une émotion ; c'était le terrain miné qui nous séparait.

Elle a regardé Janey. Elle m'a regardée. Elle a dit : « Tu n'es pas ma fille. »

C'était presque sans importance. Il était trop tard pour ce genre de remarques. J'avais un langage propre et ce n'était pas le sien.

Janey et moi étions heureuses. Nous allions au lycée. Nous nous voyions tous les jours. J'avais commencé à prendre des leçons de conduite dans une Mini délabrée sur un bout de terrain vague. J'évoluais dans le monde des livres et de l'amour que je m'étais créé. Le monde était pur et saisissant. Je me sentais de nouveau libre – parce que j'étais aimée, j'imagine. J'ai acheté des fleurs pour Mrs Winterson.

En rentrant ce soir-là, j'ai vu que les fleurs étaient dans un vase sur la table. Je les ai regardées... Dans le vase, il n'y avait que les tiges. Elle avait coupé les têtes qu'elle avait jetées dans la cheminée. Le feu était prêt, et les têtes blanches des œillets jonchaient le joli tas de charbon.

Ma mère était assise dans son fauteuil, muette. Je n'ai fait aucune remarque. J'ai contemplé la pièce, petite et impeccable, les canards en cuivre sur le manteau de la cheminée, le casse-noix en forme de crocodile en cuivre à côté de l'horloge, le séchoir que l'on pouvait tirer ou replier au-dessus du foyer, la commode avec dessus, des photos de nous. C'était là que je vivais.

Elle a dit : « C'est mal. Je sais ce que tu es.

— Je ne pense pas, non.

— La toucher. L'embrasser. Nues. Dans le lit. Tu crois que je ne sais pas ce que vous faites ? »

Parfait... terminé... fini de se cacher. Fini le dédoublement de personnalité. Finis les secrets.

« Maman... J'aime Janey.

— Et donc tu te vautres sur elle... des corps chauds, des mains partout...

— Je l'aime.

— Je t'ai laissé une chance. Tu es reprise par le démon. Je te le dis donc une bonne fois pour toutes, soit tu quittes cette maison et tu n'y reviens jamais, soit tu cesses de fréquenter cette fille. Je vais prévenir sa mère.

— Elle est au courant.

— Elle est quoi ?

— Sa mère est au courant. Elle n'est pas comme toi. »

Mrs Winterson s'est tue un long moment, puis s'est mise à pleurer. « C'est un péché. Tu iras en Enfer. Des corps flasques tout droit en Enfer. »

Je suis montée à l'étage où j'ai commencé à réunir mes affaires. Je n'avais aucune idée de ce que j'allais faire.

Quand je suis redescendue, ma mère était figée dans son fauteuil et regardait dans le vide.

« Dans ce cas, je vais partir... », ai-je dit.

Elle n'a rien répondu. Je suis sortie de la pièce. J'ai tra-

versé le vestibule étroit et sombre, les manteaux sur le portemanteau. Rien à dire. J'étais à la porte. Je l'ai entendue
derrière moi. Je me suis retournée.

« Jeanette, est-ce que tu vas me dire pourquoi ?

— Pourquoi quoi ?

— Tu sais bien… »

Mais je ne sais pas pourquoi… ce que je suis… pourquoi
je n'arrive pas à lui faire plaisir. À lui donner ce qu'elle veut.
Pourquoi je ne suis pas ce qu'elle veut. J'ignore ce que je veux
ou pourquoi je le veux. Mais je sais une chose : « Quand je
suis avec elle, je suis heureuse. Tout bonnement heureuse. »

Elle a acquiescé. Elle semblait comprendre et j'ai vraiment
cru le temps de cet instant qu'elle changerait d'avis, qu'on
parlerait, que l'on se tiendrait toutes les deux du même côté
du mur de verre. J'ai attendu.

Elle a répondu : « Pourquoi être heureux quand on peut
être normal ? »

9

Littérature anglaise de A à Z

La bibliothèque municipale d'Accrington possédait un exemplaire de presque tout. Elle en avait un de l'*Autobiographie d'Alice Toklas* de Gertrude Stein (1932).

À seize ans, je n'en étais qu'à la lettre M – sans compter Shakespeare qui n'entre pas dans l'alphabet, de même que le noir n'est pas une couleur. Le noir rassemble toutes les couleurs et Shakespeare rassemble tout l'alphabet. Je lisais ses pièces et ses sonnets à la façon dont on s'habille tous les matins. On ne se demande pas : « Vais-je m'habiller aujourd'hui ? » (Les jours où vous ne vous habillez pas, c'est que vous être trop mal, mentalement ou physiquement, pour vous poser la question – mais nous y reviendrons plus tard.)

M correspondait à Andrew Marvell, un poète du dix-septième siècle. Après ma rencontre avec T. S. Eliot sur les marches de la bibliothèque, j'avais décidé d'ajouter la poésie à la liste de mes lectures. La poésie est plus facile à retenir que la prose. Une fois apprise vous pouvez vous en servir comme d'une lumière ou d'un laser. Elle fait émerger clairement la situation dans laquelle vous vous trouvez et vous aide à la dépasser.

Marvell a écrit un des plus beaux poèmes de la langue anglaise – « À sa pudique maîtresse ». Il commence par : *Si le monde était nôtre, et le Temps...*

Faire le monde mien, et le temps : étant jeune, j'avais du temps, mais je savais qu'en matière de monde, j'avais tout à découvrir. Je n'avais même pas de chambre à moi.

Les derniers vers du poème me donnaient beaucoup d'espoir. C'est un poème de séduction, ce qui fait son charme, mais c'est aussi un poème de vie qui appelle, célèbre l'amour et le désir, et présente ce dernier comme un défi lancé à la mortalité.

On ne peut pas ralentir le temps, dit Marvell, mais on peut le poursuivre. On peut le faire galoper. Pensez au sablier, au cliché du sable du temps qui lentement s'écoule, et à tous ces vœux faustiens d'immortalité – si seulement le temps pouvait s'arrêter, si seulement nous pouvions vivre éternellement.

Oubliez tout cela, intime Marvell, inversez le cours des choses et vivez aussi intensément que possible. Écoutez-le, il le dit mieux que moi :

Let us roll all our strength and all	Façonnons en une unique sphère
Our sweetness up into one ball ;	Nos force et douceur tout entières :
And tear our pleasures with rough strife	Notre plaisir par âpre combat
Thorough the iron gates of life.	Force les herses de notre état.
Thus, though we cannot make our sun	Notre soleil ne peut se fixer ?
Stand still, yet we will make him run.	Faisons-le donc dès lors galoper.

Lisez-le à voix haute. Et regardez l'effet que produit Marvell en plaçant *sun* à la fin du vers. En brisant le vers à cet endroit, il nous oblige à marquer une nano-pause qui fait que le soleil est bel et bien un instant fixé – puis le vers repart au galop.

Je me suis dit : « Si je ne peux pas rester où je suis, et c'est le cas, alors je vais tout investir dans mon départ. »

Peu à peu, je me suis aperçue que j'avais de la compagnie. Les écrivains sont souvent des exilés, des marginaux, des fugueurs et des parias. Ces écrivains étaient mes amis. Chaque livre était une bouteille à la mer. Il fallait les ouvrir.

M. Comme Katherine Mansfield – le seul écrivain que Virginia Woolf jalousait... mais je n'avais pas encore lu Virginia Woolf.

De toute façon, à l'époque, je ne pensais pas en termes de genre ou de féminisme parce que ma conscience politique se limitait à savoir que j'appartenais à la classe ouvrière. Mais j'avais relevé que les femmes étaient moins nombreuses, plus éloignées les unes des autres sur les étagères, et dès que j'abordais un livre « sur » la littérature (mauvaise idée), force était de constater que ces ouvrages étaient écrits par des hommes sur des hommes qui écrivent.

Cela ne me tracassait pas ; j'étais au bord de la noyade et un naufragé, quel qu'il soit, ne s'inquiète pas de savoir si l'espar auquel il se raccroche est en orme ou en chêne.

Katherine Mansfield – une autre tuberculeuse, à l'instar de Lawrence et de Keats, qui m'aidait à mieux accepter ma toux chronique. Katherine Mansfield – un écrivain dont les nouvelles ne pouvaient pas être plus différentes de la vie que je menais à seize ans.

Mais c'était le but. Lire ce qui est pertinent par rapport aux faits de votre existence est d'un intérêt limité. Après tout, les faits ne sont que des faits et le pan désirant et passionné de votre être ne s'y retrouvera pas. C'est pour cette raison que se lire soi-même autant comme une fiction que comme un fait est si libérateur. Plus on étend ses lectures, plus on se libère. Emily Dickinson est à peine sortie de sa maison d'Amherst, dans le Massachusetts, mais il suffit de lire : « Ma vie était – un Fusil Chargé », pour savoir que l'on vient de tomber sur un imaginaire qui plutôt que d'orner la vie, préfère la faire détoner.

Donc je lisais. Je lisais au-delà des frontières de mon histoire et de ma géographie, au-delà des histoires d'orphelins, des briques Nori, au-delà du Diable et du mauvais berceau. Les grands écrivains n'étaient pas inaccessibles ; ils étaient à Accrington.

La bibliothèque municipale d'Accrington utilisait la classification décimale de Dewey, ce qui voulait dire que les livres étaient catalogués méticuleusement, sauf les romans de gare que tout le monde méprisait. La littérature sentimentale était affublée d'un trait rose et les volumes étaient rangés dans le désordre sur les étagères. Les épopées maritimes étaient traitées de la même manière, mais étaient, elles, marquées d'un trait vert. La littérature d'épouvante recevait un trait noir. Les romans à énigme écrits dans un style à trois sous avaient un trait blanc ; en revanche, jamais la bibliothécaire n'aurait mis Chandler ou Highsmith dans la catégorie romans à énigme – là, c'était de la littérature, de même que *Moby Dick* n'était pas une épopée maritime et que *Jane Eyre* n'était pas un roman sentimental.

L'humour avait lui aussi son rayon... signalé par un trait orange en forme de sourire. Sur ces étagères se trouvait, je ne saurai jamais pourquoi ni comment, Gertrude Stein, mais sans doute parce que ses écrits semblaient ressortir de l'absurde...

Peut-être était-ce le cas, d'ailleurs, et à vrai dire, elle recourait souvent à l'absurde, bien que pour des raisons très logiques. L'*Autobiographie d'Alice Toklas* est un livre délicieux, en plus de représenter un moment révolutionnaire pour la littérature anglaise – de la même façon que le *Orlando* de Virginia Woolf (1928) a été révolutionnaire.

Woolf a qualifié son roman de biographie et Stein a écrit l'autobiographie d'une autre. Les deux femmes ont provoqué l'effondrement de l'espace qui séparait le fait de la fiction – l'héroïne d'*Orlando* s'inspirait de la véritable Vita Sackville-West, et Stein s'est servie de sa compagne, Alice B. Toklas.

Certes, Defoe avait parlé d'autobiographie pour *Robinson Crusoé* (Stein en fait mention), et Charlotte Brontë a dû appeler *Jane Eyre* une biographie parce qu'à cette époque les femmes n'étaient pas censées inventer quoi que ce soit – encore moins des histoires à la moralité audacieuse pour ne pas dire douteuse.

À l'inverse, Woolf et Stein se montraient radicales en insérant des personnes réelles dans leurs fictions et en brouillant les faits les concernant – *Orlando* donne à voir une vraie photo de Vita Sackville-West et Alice B. Toklas, l'écrivain supposé, est la compagne de Stein mais pas l'auteur...

Pour moi qui suis fascinée par les questions d'identité, la définition de soi, ces livres ont été cruciaux. Se lire soi-même comme une fiction autant que comme un fait est le seul moyen de garder la narration ouverte – le seul moyen d'empêcher le récit de prendre la tangente sous l'effet de son propre rythme, souvent vers une conclusion dont personne ne veut.

La nuit où j'ai quitté la maison, j'ai eu l'impression qu'on m'avait tendu un piège visant à me pousser dehors – non pas tendu par Mrs Winterson, mais par le récit lugubre de notre vie commune.

Son fatalisme était si puissant. Mrs Winterson était son propre trou noir qui engloutissait toute la lumière. Elle était constituée de matière noire et sa force était invisible, imperceptible si ce n'est dans ses effets.

Qu'est-ce que cela aurait fait d'être heureux ? Qu'est-ce que cela aurait fait si les choses avaient été limpides, belles et agréables entre nous ?

Cela n'a jamais été une question de biologie, d'acquis ou d'inné. J'ai appris entretemps que nous pansons nos plaies en étant aimé, et en aimant les autres. Nous ne guérissons pas en formant une société secrète qui ne compterait qu'un seul membre – en étant obsédé par la seule « autre » personne que l'on pourrait admettre, nous condamnant d'avance à la déception. Mrs Winterson était sa propre société secrète et elle désirait que je la rejoigne. J'ai moi-même appliqué cette doctrine compulsive à mon existence pendant très longtemps. Elle est la base de l'amour romantique – toi + moi contre le monde. Un monde où il n'y a que nous deux. Un monde

à relire info :

à ne plus faire

qui n'existe pas vraiment alors que nous vivons dedans. Et quand l'un de nous trahit l'autre...

L'une de nous trahira toujours l'autre.

En partant de la maison cette nuit-là, je rêvais d'amour et de loyauté. Les désirs colossaux de ma nature devaient s'insinuer dans un goulot étroit – rejoindre l'idée de « l'autre », le simili-jumeau qui serait presque moi mais pas tout à fait. La division d'un être achevé digne de Platon. Un jour, nous nous retrouverions – et alors tout redeviendrait normal.

Il me fallait bien y croire – comment m'en sortir, sinon ? Pourtant, je me dirigeais vers le « tout ou rien » qu'exige l'amour et qui provoque de terribles pertes.

Mais – et c'est important – on n'a pas vraiment le choix quand on a seize ans. On part avec ce dont on a hérité.

Mais...

Il y a toujours un joker. Moi, j'avais les livres. Surtout, j'avais le langage qui faisait les livres. Un moyen de parler de la complexité. Un moyen de *maintenir le cœur ouvert à l'Amour et à la Beauté* » (Coleridge).

Après avoir quitté la maison, j'ai marché une bonne partie de la nuit. La nuit avançait au ralenti, et les nuits sont déjà tellement plus longues que les jours. Le temps n'est pas constant et chaque minute a sa durée propre.

J'étais dans une nuit qui étirait ma vie. Je m'éloignais à pied, j'essayais de m'éloigner de l'orbite sombre de sa dépression. J'essayais de sortir de l'ombre qu'elle projetait. En fait, je n'allais nulle part. J'allais bientôt être loin, libre, du moins semblait-il, mais on emporte toujours ces choses avec soi.

Il faut beaucoup plus de temps pour s'extirper du lieu psychique que du lieu physique.

Entre quatre et six heures du matin, j'ai dormi dans les abris du terrain de boules et me suis réveillée frigorifiée, le corps raidi dans la lumière fragmentée par les nuages d'octobre. Je me suis rendue au marché où je me suis payé des œufs sur le plat accompagnés de thé fort, et j'ai emporté mes quelques affaires avec moi au lycée.

Les quelques jours qui ont suivi ont été très durs. Le père de Janey avait finalement décidé qu'il ne m'aimait pas – j'avais cet effet sur les parents de mes amis – de sorte que je ne pouvais plus dormir dans la caravane. Alors j'ai dormi dans la Mini délabrée avec laquelle j'avais appris à conduire.

C'était une très bonne voiture appartenant à un garçon dérangé qui fréquentait notre église et dont les parents, d'un âge avancé, s'ils n'étaient pas croyants étaient gâteux. Il me laissait me servir de la Mini parce que ses parents voulaient qu'il ait une voiture, mais lui avait une peur bleue de conduire. Nous nous sommes mis d'accord pour garer la Mini au bout de la rue de Janey.

Pour réussir à dormir dans une voiture, il faut avoir une bonne organisation. Je m'installais à l'avant pour lire et manger, je dormais à l'arrière. Ainsi, j'avais l'impression de contrôler la situation. Mes affaires restaient dans le coffre et au bout de quelques jours, j'ai décidé de faire un tour en ville, même si je n'avais pas le permis.

Je travaillais sur le marché où je remballais des pulls dans des cartons trois soirs par semaine et les samedis de huit heures du matin à six heures du soir. Je travaillais aussi pour un primeur, ce qui me permettait de me payer à manger, l'essence et la laverie.

Tous les samedis, Janey et moi allions au cinéma, nous mangions des *fish and chips* et faisions l'amour à l'arrière de la Mini. Puis elle rentrait chez elle et je m'endormais en lisant Nabokov à l'aide d'une lampe de poche. La lettre N ne me plaisait pas.

Je ne comprenais pas pourquoi un homme trouvait le corps d'une femme mûre si répugnant. Ce que j'aimais le plus quand j'allais me doucher aux bains publics était de regarder les femmes. Je les trouvais très belles, sans exception. C'était en soi un reproche adressé à ma mère qui ne voyait dans le corps que laideur et péché.

Le regard que je posais sur ces femmes n'avait rien de sexuel. J'aimais Janey qui elle était sexuelle, mais contempler ces femmes revenait à me regarder moi et peut-être, à m'aimer. Je ne sais pas quel sens cela aurait pris si j'avais désiré des garçons, mais ce n'était pas le cas. J'en appréciais certains mais ne les désirais pas. Ni à l'époque. Ni aujourd'hui.

Un jour, au lycée, alors que Wilfred Owen et *Middlemarch* étaient au programme, j'ai émis une plainte au sujet de Nabokov. *Lolita* me contrariait. Pour la première fois, je me sentais trahie par la littérature. J'ai interrogé la bibliothécaire – en général fiable – et elle m'a dit qu'elle aussi détestait Nabokov, comme beaucoup d'autres femmes, mais qu'il valait mieux ne pas le dire en société.

Les hommes vous traitent de provinciales, sinon, a-t-elle dit, alors je lui ai demandé ce qu'ils entendaient par là et elle m'a expliqué que ce mot faisait référence aux gens vivant en province. Je lui ai demandé si Accrington était la province, mais elle a dit que non, c'était au-delà de la province.

J'ai donc interrogé mes professeurs.

J'avais deux profs d'anglais. Le principal était un homme sexy mais grossier qui a épousé une de mes camarades quand elle a fini par avoir dix-huit ans. Il a dit que Nabokov était absolument génial et qu'un jour je comprendrais. « Il hait les femmes », ai-je rétorqué sans mesurer que je faisais là mes premiers pas dans le féminisme.

« Il hait ce que deviennent les femmes, a corrigé le grossier personnage. C'est différent. Il aime les femmes jusqu'à ce qu'elles deviennent ce qu'elles deviennent. »

La conversation a dérapé quand nous avons abordé les personnages de Dorothea Brook dans *Middlemarch* et de l'épouvantable Rosamund qui a la faveur de tous les hommes, sans doute parce qu'elle n'est pas devenue ce que les femmes deviennent...

Cette passe d'armes ne menait nulle part alors je suis allée faire du trampoline avec deux filles qui se moquaient de Dorothea Brook ou de Lolita. Elles n'aimaient que le trampoline.

Nous étions si bruyantes que nous avons perturbé le cours de la directrice du département d'anglais, Mrs Ratlow.

Mrs Ratlow était une dame d'âge moyen, aussi ronde qu'un chat duveteux. Elle avait également les cheveux duveteux et mettait de l'ombre à paupières violette. Elle portait des tailleurs rouges en polyester et des chemisiers verts à froufrous. Elle était tout à la fois effrayante, vaine et ridicule, si bien que soit nous nous moquions d'elle soit nous tentions de l'éviter. Mais elle était folle de littérature. Chaque fois qu'elle prononçait le nom de « Shakespeare », elle baissait la tête en signe de respect et elle avait même pris le car pour Stratford-upon-Avon en 1970 afin d'assister à la légendaire mise en scène du *Songe d'une nuit d'été* par Peter Brook qui avait situé l'action dans une boîte blanche. Elle était une sorte de Miss Jean Brodie, même si à l'époque je ne pouvais pas le deviner puisque je n'étais pas encore arrivée à la lettre S et quand, enfin, j'y suis parvenue, il n'y avait aucun livre de Muriel Spark à la bibliothèque. Trop moderne pour notre rayon Littérature anglaise en prose de A à Z.

Mais voilà Mrs Ratlow – veuve et mère de deux fils adolescents beaucoup plus grands qu'elle et qui arrivaient toujours au lycée sous une pluie de menaces proférées par leur mère pendant qu'elle manœuvrait dans le parking et chassait les deux mastodontes de sa minuscule Riley Elf. Elle hurlait tout le temps. Elle prenait du Valium en classe. Elle nous lançait des livres à la tête et menaçait de nous tuer. Ce genre de comportement était encore autorisé à l'époque.

Mrs Ratlow est sortie en trombe de la salle d'anglais bêtement située à côté de la salle où se pratiquait le trampoline. Quand elle a eu cessé de nous hurler dessus, j'ai dit que tout était de la faute de Nabokov et qu'il fallait que je saute la lettre N.

« Mais tu lis déjà Wilfred Owen.

– Je sais mais c'est de la poésie. Le reste du temps, je lis les livres du rayon de Littérature anglaise en prose de A à Z. Il y a cette auteure, Mrs Oliphant... »

Mrs Ratlow a gonflé la poitrine comme un pigeon. « Mrs Oliphant ce n'est pas de la littérature – tu n'es pas obligée de la lire !

– Je n'ai pas le choix – elle est sur l'étagère.

– Comment ça, ma petite ? » a dit Mrs Ratlow, soudain intéressée malgré son excitation à l'idée de noter vingt rédactions sur *Orgueil et Préjugés*.

Alors je n'ai pas pu m'empêcher de tout déballer – la mère, la Mini, la bibliothèque, les livres. Mrs Ratlow gardait le silence, ce qui était très inhabituel. Puis elle a dit : « Tu vis dans une Mini et quand tu n'es pas dans la Mini, tu travailles sur les marchés pour gagner de l'argent, ou tu es au lycée, ou encore à la bibliothèque d'Accrington à lire les livres du rayon Littérature anglaise en prose de A à Z. »

C'était un bon résumé de ma vie, le sexe mis à part.

« Depuis, j'ai intégré la poésie à mon programme », et je lui ai raconté l'épisode T. S. Eliot.

Elle me regardait comme si je sortais des *Monstres de l'espace*, un objet autrefois familier qui se transformait sous ses yeux. Puis elle a dit : « J'ai une chambre de libre à la maison. Je te demanderai de payer ta nourriture et de ne pas faire de bruit après vingt-deux heures. Tu peux avoir une clé.

– Une clé ?

– Oui. C'est un petit objet en métal qui ouvre une porte. »

Je venais d'être renvoyée à mon statut d'idiote, mais ça m'était égal. J'ai dit : « Je n'ai jamais eu de clé, à part celle de la Mini.

– Je vais parler à ta mère.

– Non, s'il vous plaît. »

Elle m'a tendu la clé. « Ne t'attends pas à recevoir un traitement de faveur de ma part pour aller au lycée. Les garçons s'assoient à l'arrière, mon sac est à l'avant. » Elle a fait

une pause avant d'ajouter : « Il se peut que Nabokov soit un grand écrivain, ou pas. Je ne le sais pas et m'en moque.
– Est-ce que je dois terminer *Lolita* ?
– Oui. Mais ne lis pas Mrs Oliphant. Il faut absolument que je touche deux mots à la bibliothécaire à ce sujet ce week-end. Et tu n'es pas obligée de lire les auteurs par ordre alphabétique, tu sais. »

J'ai commencé à expliquer qu'il me fallait bien avoir quelques règles – comme de manger et de lire à l'avant de la Mini et de dormir à l'arrière – mais je me suis arrêtée net parce que les exercices de trampoline avaient repris et que Mrs Ratlow se précipitait déjà vers l'étendue de tissu élastique moite, hurlant au sujet de Jane Austen.

Je me suis mise en route pour la bibliothèque, la petite clé argentée dans ma poche.

J'aidais la bibliothécaire à ranger les livres, une tâche qui me plaisait beaucoup parce que j'aimais sentir le poids des livres et la façon dont ils se glissaient à leur place sur les étagères.

Elle me donnait une pile de livres avec des traits orange en forme de sourire pour le rayon Humour, et c'est à cette occasion que j'ai découvert Gertrude Stein.

« Je croyais que vous en étiez à la lettre N ? » a demandé la bibliothécaire qui, comme la plupart des bibliothécaires, croyait à l'ordre alphabétique.

« C'est le cas, mais je regarde aussi un peu ailleurs. C'est ma prof d'anglais qui me l'a conseillé. Elle m'a dit que Mrs Oliphant n'était pas de la littérature. Elle va venir vous voir à ce sujet. »

La bibliothécaire haussa les sourcils. « Tiens donc ? Non

pas que je ne partage pas son avis. Mais peut-on vraiment passer directement de la lettre N à la lettre P ? Même s'il est vrai que la lettre O pose problème.

– La lettre N aussi.

– Ce n'est pas faux. La littérature anglaise – peut-être même la littérature en général –, ne correspond jamais à nos attentes. Et n'offre pas toujours ce que l'on apprécie. J'ai moi-même eu un mal fou avec la lettre C... Lewis Carroll. Joseph Conrad. Coleridge. »

Ce n'était jamais une bonne idée de vouloir débattre avec la bibliothécaire mais avant que je m'en aperçoive, je récitais :

> *L'entreprise est stérile,*
> *Dussé-je garder les yeux fixés*
> *À jamais sur ce vert qui illumine l'ouest :*
> *Les formes extérieures ne me gagneront pas*
> *La passion ni la vie, leurs sources sont internes.*

La bibliothécaire me dévisagea. « C'est magnifique.

– C'est Coleridge. « Découragement : une ode. »

– Alors peut-être devrais-je réviser mon jugement sur la lettre C.

– Est-ce que je devrais réviser mon jugement sur la lettre N ?

– Voilà mon conseil : si vous détestez un livre que vous lisez à un jeune âge, mettez-le de côté et relisez-le trois ans plus tard. S'il ne vous plaît toujours pas, réessayez quelques années plus tard. Et quand votre jeunesse sera derrière vous – comme moi qui ai cinquante ans – relisez ce que vous détestiez le plus.

– Ce sera *Lolita*. »

Elle m'a souri, un événement rare, alors j'ai demandé :
« Est-ce que je peux me passer de Mrs Oliphant ?

– Je crois, oui... même si elle a écrit une excellente histoire de fantôme intitulée *La Porte ouverte.* »
J'ai pris ma pile de livres à ranger. Le silence régnait dans la bibliothèque. Il y avait du monde, mais l'endroit était calme, et je me suis dit que ce devait être pareil dans un monastère où l'on bénéficiait de compagnie et d'empathie tout en ayant le loisir de pouvoir penser pour soi. J'ai levé les yeux vers l'énorme vitrail et le magnifique escalier en chêne. J'aimais ce bâtiment.

La bibliothécaire expliquait les avantages de la classification décimale de Dewey à son assistante – avantages qui s'étendaient à tous les domaines de la vie. Elle permettait à chaque chose de trouver sa place, comme l'univers. Elle répondait aux exigences de la logique. Elle était fiable. Y recourir offrait un sentiment d'élévation morale ainsi qu'un plus grand contrôle de notre chaos personnel.

« Au moindre souci, a confié la bibliothécaire, je pense à la classification Dewey.

– Et, qu'est-ce que ça fait ? a demandé l'assistante plutôt impressionnée.

– Je m'aperçois que mon problème a simplement été mal classé. On en revient évidemment à ce qu'expliquait Jung – que les contenus de notre inconscient en plein chaos luttent pour trouver leur place dans l'index de la conscience. »
L'assistante s'est tue. « Qui est Jung ? ai-je demandé.

– Il est trop tôt pour vous parler de lui. De toute façon, il n'est pas en Littérature anglaise de A à Z. Il se trouve au rayon Psychanalyse – là-bas, en Psychologie et Religion. »

Je suis allée voir. Les seules personnes à fréquenter le secteur Psychologie et Religion étaient un homme à queue-de-cheval affublé d'un t-shirt crasseux sur lequel était inscrit MOI sur le devant et ÇA sur l'arrière, et deux femmes qui se prenaient pour des sorcières et faisaient des recherches sur la Sorcellerie contemporaine. Tous trois occupaient le secteur à cet instant et se passaient des petits mots car il était interdit de parler. Jung pouvait attendre.

« Qui est Gertrude Stein ?

– Une moderniste. Elle écrivait sans se préoccuper du sens.

– C'est pour ça qu'elle est dans le rayon humour avec Spike Milligan ?

– La classification décimale de Dewey laisse une certaine latitude au documentaliste. C'est une autre de ses forces. Elle nous protège de la confusion tout en nous offrant la liberté de pensée. Mon prédécesseur aura considéré que Gertrude Stein était une moderniste trop moderne pour la Littérature anglaise de A à Z, et de toute façon, même si elle écrivait en anglais, ou presque, c'était une Américaine qui vivait à Paris. Elle est morte, aujourd'hui. »

J'ai rapporté l'*Autobiographie d'Alice Toklas* à la Mini et je me suis rendue chez Mrs Ratlow. J'ai attendu un bon moment avant de me présenter. Je l'entendais crier après les garçons.

J'ai regardé par la fenêtre de la cuisine de la maison proprette – ce n'était pas une maison mitoyenne comme celle de Water Street, mais presque un cottage qui, à l'arrière, donnait sur les champs. Pendant que ses deux mastodontes de fils dînaient, Mrs Ratlow repassait en lisant un texte de Shakespeare posé sur un pupitre à musique installé près de la planche à repasser. Elle avait retiré sa veste en polyester et portait un chemisier en nylon à manches courtes. Elle avait de gros bras avec des fossettes. Son décolleté était ridé, flasque, charnu et rouge. Elle était tout ce que Nabokov abhorrait.

Ses yeux pétillaient à la lecture de Shakespeare et chaque fois qu'elle terminait de repasser une des chemises des mastodontes, elle s'arrêtait, tournait la page, suspendait la chemise à un cintre et en prenait une autre sur la pile.

Elle portait des chaussons molletonnés roses qui ressortaient sur le lino noir et blanc.

Elle me donnait une chance. L'hiver arrivait, il faisait froid dans la Mini, et à cause de la buée accumulée durant la nuit, je me réveillais toujours couverte de gouttes d'eau, comme une feuille au matin.

J'ignorais si ce que je faisais était la bonne chose à faire. Je me parlais toute seule sans arrêt, je débattais de la situation avec moi-même. D'une certaine façon, j'avais de la chance parce que notre église avait toujours insisté sur l'importance de se concentrer sur les choses positives – les cadeaux du ciel –, pas seulement sur le négatif. Et c'est ce que je faisais la nuit quand je me blottissais dans mon sac de couchage. Il y avait du positif ; Janey et mes livres. Quitter la maison voulait dire que je pouvais garder les deux sans avoir peur.

J'ai sorti ma clé, puis j'ai sonné par politesse. Un des deux mastodontes m'a ouvert la porte. Mrs Ratlow est apparue : « Aidez-la à rentrer ses affaires, vous deux. Est-ce que je dois tout faire ? »

Ma chambre minuscule donnait sur les champs noirs. J'ai empilé mes livres et plié mes vêtements ; trois jeans, deux paires de chaussures, quatre pulls, quatre chemisiers, l'équivalent d'une semaine de chaussettes et de culottes. Et un duffel-coat.

« C'est tout ?

– Il y a un ouvre-boîte, un peu de vaisselle, un butagaz, une serviette et un sac de couchage dans la voiture, mais ils peuvent y rester.

– Il va te falloir une bouillotte.

– J'en ai une, et aussi une lampe de poche et du shampoing.

– Dans ce cas, c'est parfait. Fais-toi des tartines à la confiture et va te coucher. »

Elle m'a regardée sortir le Gertrude Stein.

« S », a-t-elle dit.

Gertrude et Alice vivent à Paris. Elles offrent leur aide à la Croix-Rouge pendant la guerre. Elles conduisent une Ford deux places qu'elles avaient fait venir par bateau des États-Unis. Gertrude aime conduire, mais refuse de faire marche arrière. Elle ne veut aller que de l'avant parce qu'elle dit que tout l'intérêt du vingtième siècle réside dans le progrès.

L'autre chose que Gertrude refuse de faire est de lire la carte. Alice Toklas lit la carte et Gertrude écoute parfois ses indications, mais pas toujours.

La nuit commence à tomber. Des bombes explosent. Alice perd patience. Elle jette la carte et hurle à Gertrude : « C'EST LA MAUVAISE ROUTE. »

Gertrude ne s'arrête pas. Elle rétorque : « Bonne ou mauvaise, c'est la route et nous sommes dessus. »

10

C'est la route

J'ai décidé de faire une demande d'inscription au département d'anglais de l'université d'Oxford parce qu'il n'y avait pas pour moi de projet plus impossible à réaliser. Autour de moi, personne n'était allé à l'université et on encourageait plutôt les filles les plus brillantes à devenir institutrices ou comptables, Oxford et Cambridge n'entrant pas dans la liste des choses à faire avant de mourir.

En Grande-Bretagne, la loi sur l'égalité des salaires était passée depuis 1970, mais aucune femme de ma connaissance ne recevait de salaire équivalant à celui des hommes – ni ne croyait que c'était son droit.

Dans le Nord industriel de l'Angleterre, les emplois de type ouvrier avaient la part belle – travail en usine, dans l'industrie, à la mine – et les hommes détenaient le pouvoir économique.

Les femmes maintenaient la cohésion de la famille et de la communauté. Mais l'invisibilité de leur contribution, ni mesurée ni rétribuée ni même récompensée socialement, signifiait que mon monde était peuplé de « femmes au foyer », des femmes fortes et capables, qui devaient s'incliner devant leur homme. C'est ce que faisait ma mère avec mon père. Elle le méprisait (ce qui était injuste), mais disait que c'était lui le chef de famille (ce qui était faux). Ce schéma marital/ domestique se répétait à l'identique dans tout mon entourage.

Les rares femmes que je connaissais qui occupaient un poste subalterne ou un poste de direction n'étaient pas mariées. La majorité de mes enseignantes étaient célibataires. Mrs Ratlow était veuve et dirigeait le département d'anglais du lycée, mais continuait de cuisiner et de faire la lessive pour ses deux fils et ne prenait jamais de vacances parce qu'elle disait – je ne l'oublierai jamais : « Quand une femme seule n'éveille plus l'intérêt du sexe opposé, elle n'est visible que là où elle est utile. »

Cette phrase de poids aurait dû faire d'elle une féministe, mais elle n'avait pas de temps à consacrer au féminisme en tant que mouvement. Elle adorait les hommes même si leur absence dans sa vie la rendait invisible à ses propres yeux – le recoin le plus triste dans la communauté des lieux invisibles que puisse occuper une femme. Germaine Greer avait publié *La Femme eunuque* en 1970, mais chez nous, personne ne l'avait lu.

Nous n'étions pas raffinés. Nous étions des gens du Nord. Nous ne vivions pas dans une grande ville comme Manchester et le féminisme ne semblait pas être arrivé jusqu'à nous.

Le terme *battleaxe*, hache d'arme, qui désigne les viragos du Nord ouvrier, est à double tranchant. Cette image de couperet divise aussi notre identité. Ces femmes étaient fortes, reconnues comme telles à la maison et dans les comédies populaires – toutes les cartes postales de bord de mer arboraient des dessins de petits messieurs malingres aux côtés de femmes imposantes – et dans les clubs d'ouvriers où l'on buvait beaucoup, des numéros comme ceux de Les Dawson affublé d'un foulard et d'un tablier parodiaient autant qu'ils célébraient les femmes formidables que les hommes aimaient, craignaient, et dont ils dépendaient. Pourtant, ces femmes censées attendre à la porte avec un rouleau à pâtisserie pour frapper leur homme n'avaient aucun pouvoir économique. Et si elles en avaient, elles le cachaient.

Les femmes qui géraient un petit commerce, comme les étals sur lesquels je travaillais ou l'échoppe de *fish and chips* où j'ai pris nombre de mes repas, prétendaient que l'affaire appartenait à leur mari et qu'elles ne faisaient qu'y travailler.

Le seul et unique cours d'éducation sexuelle auquel nous ayons eu droit à l'école ne concernait pas du tout le sexe, mais l'économie sexuelle. Nous devions payer notre part parce que la modernité l'exigeait, mais nous devions donner l'argent au garçon pour qu'il puisse être vu en train de payer. Il n'était question là que de tickets de bus ou de places de cinéma, mais plus tard, lorsque nous aurions un budget domestique à gérer, il nous faudrait nous assurer qu'il sache que tout était à lui. L'enseignante a appelé ça la fierté masculine, je crois. Je me suis dit que c'était la chose la plus idiote que j'aie jamais entendue ; la théorie de la terre plate appliquée aux relations sociales.

Les seules femmes qui s'épanouissaient dans la vie qu'elles s'étaient choisie et sans se cacher socialement étaient le couple qui gérait la confiserie, mais elles devaient se cacher d'un point de vue sexuel en ne pouvant pas être ouvertement gay. Elles étaient la risée de la ville, entre autres parce que l'une des deux portait un passe-montagne.

J'étais une femme. J'étais une femme issue de la classe ouvrière. J'étais une femme qui souhaitait aimer les femmes sans se sentir coupable ni ridicule. Ces trois éléments servaient de base à mes idées politiques, et ils comptaient plus que les syndicats ou la lutte des classes telle qu'elle était comprise par le mâle de Gauche.

La gauche avait mis beaucoup de temps à intégrer que les femmes étaient indépendantes et égales aux hommes – et a cessé de considérer la sexualité des femmes comme une réponse au désir masculin. J'étais mal à l'aise et me sentais marginalisée par ce que je savais de la politique de gauche. Je ne cherchais pas à améliorer mes conditions de vie. Je voulais changer ma vie jusqu'à ce qu'elle en devienne méconnaissable.

Apparue à la fin des années 70, Margaret Thatcher parlait d'une nouvelle culture du risque et de la récompense – une nouvelle culture où l'on pouvait être tout ce qu'on voulait pourvu que l'on travaille dur et que l'on soit prêt à abandonner les filets de sécurité de la tradition.

J'étais déjà partie de chez moi. Je travaillais déjà le soir et les week-ends pour me payer mes études. Je n'avais pas de filet de sécurité.

À mes yeux, Thatcher semblait proposer de meilleures solutions que les hommes de la classe moyenne qui parlaient pour le parti travailliste, ou que les hommes de la classe ouvrière qui militaient pour un revenu « familial » et voulaient que leurs femmes restent à la maison.

Je n'avais pas de respect pour la vie familiale. Je n'avais pas de foyer. J'avais de la rage et du courage à revendre. J'étais intelligente. J'étais déconnectée émotionnellement. Je ne comprenais pas grand-chose à la lutte des sexes. J'étais le prototype idéal pour la révolution Reagan/Thatcher.

J'ai passé le concours d'entrée à Oxford, préparée par Mrs Ratlow, et ayant obtenu un entretien, j'ai acheté un billet de car pour Oxford.

J'avais posé ma candidature pour intégrer le *college* Sainte-Catherine parce qu'il s'en dégageait une impression de modernité, parce qu'il était mixte et parce qu'il avait été fondé à partir de la Société de Sainte-Catherine – une sorte de satellite un peu minable par rapport aux autres *colleges*, accueillant des étudiants trop pauvres pour entrer dans le véritable Oxford.

Mais à présent, il faisait partie intégrante d'Oxford. Et peut-être pouvais-je tenter de m'y présenter.

Je suis descendue du car et j'ai demandé ma route pour rejoindre Sainte-Catherine. J'avais l'impression d'être le Jude l'obscur du roman de Thomas Hardy, mais j'étais bien décidée à ne pas me pendre.

Je n'imaginais pas qu'il puisse exister une si belle ville, avec ses *colleges*, ses cours et ses pelouses et cette sensation de calme vivifiant qui me séduit encore aujourd'hui.

On m'avait donné une chambre pour la nuit et il était prévu que je prenne mes repas au *college* mais j'étais trop intimidée par la confiance des autres candidats pour aller dîner avec eux.

Durant l'entretien, j'ai été incapable de m'exprimer clairement parce que pour la première fois de ma vie, je sentais que je ne présentais pas comme il fallait et que je ne disais pas ce qu'il fallait. Tous les autres paraissaient détendus, même si je suis sûre que c'était faux. En revanche, il ne faisait aucun doute qu'ils étaient mieux habillés que moi et parlaient avec un autre accent. Je savais que je n'étais pas moi-même, mais je ne savais pas comment être moi-même. J'ai dissimulé celle que j'étais, sauf que je n'avais pas de masque à mettre par-dessus. Quelques semaines plus tard, j'ai appris que j'avais été refusée.

J'étais désespérée. Mrs Ratlow a déclaré qu'il nous fallait examiner les autres options ; pour moi, il n'y en avait pas. Les options ne m'intéressaient pas ; Oxford seule m'intéressait.

J'ai donc mis au point un plan.

J'avais enfin passé mon permis de conduire, vendu la Mini que je ne possédais pas vraiment, et j'avais acheté pour quarante livres une Hillman Imp autorisée à rouler. Les portières étaient coincées, mais le moteur était solide. Du moment que vous étiez prêt à vous faufiler à l'intérieur par la lucarne arrière, vous pouviez faire pas mal de route.

Janey m'a dit qu'elle m'accompagnerait, donc nous avons emporté ma tente et sommes parties pour Oxford sans pouvoir dépasser les quatre-vingts kilomètres-heure, la vitesse maximale de l'Imp, et en faisant de fréquents arrêts pour mettre de l'essence, de l'huile, de l'eau et du liquide de freins. Nous avions aussi deux œufs au cas où le radiateur fuirait. À cette époque, il était simple comme bonjour de réparer un radiateur en cassant un œuf dedans, de même qu'une courroie de transmission pouvait être remplacée par un bas en nylon, et un câble d'embrayage cassé par deux boulons et une canette de Tizer (un trou à chaque extrémité de la canette, les boulons à chaque bout du câble rompu, les boulons plus les câbles passés dans les trous de la canette – ça fait un peu de bruit mais vous pouviez embrayer).

La famille de Janey avait un guide des campings et nous en avons trouvé un bon marché dans un golf à l'extérieur d'Oxford.

Il nous a fallu environ neuf heures pour y arriver, mais nous avions du bacon, des haricots et nous étions heureuses.

Le lendemain, j'avais rendez-vous avec le directeur d'études et l'un des professeurs d'anglais – le troisième, heureusement pour moi, était absent.

J'ai de nouveau eu du mal à m'exprimer, je me suis mise à bafouiller... Sous pression, je suis un croisement de Billy Budd et de l'âne de *Shrek*.

Désespérée, j'ai levé les mains et j'ai vu que mes paumes étaient couvertes d'huile. L'Imp avait fui.

Il ne restait plus qu'à expliquer à un débit digne de *Shrek* l'Hillman Imp, la tente, l'étal où je travaillais, à aborder rapidement l'Apocalypse et Mrs Winterson, et la Littérature anglaise de A à Z.

La lettre de Mrs Ratlow était ouverte sur le bureau. Je ne sais pas ce qu'elle contenait, mais elle mentionnait Mrs Oliphant.

« Je veux devenir un meilleur écrivain qu'elle.

– Ce ne devrait pas être trop difficile – même si elle a écrit une formidable histoire de fantôme intitulée...

– ... *La Porte ouverte*. Je l'ai lue. Elle fait peur. »

Pour une raison que j'ignore, Mrs Oliphant était dans mon camp.

Le directeur d'études a expliqué que Sainte-Catherine était un *college* progressiste qui n'existait que depuis 1962, menait une politique d'ouverture en faveur des étudiants issus de l'éducation publique et qui comptait parmi les rares institutions mixtes d'Oxford.

« Nous avons Benazir Bhutto parmi nous. Margaret Thatcher, elle, a étudié la chimie à Somerville, vous savez. »

Je ne le savais pas, et je ne savais pas non plus qui était Benazir Bhutto.

« Aimeriez-vous avoir une femme pour Premier ministre ? »

Oui... à Accrington les femmes ne pouvaient pas être autre chose que des épouses, des enseignantes, des coiffeuses, des secrétaires ou des commerçantes. « Eh bien, les femmes peuvent aussi être bibliothécaires, et c'est ce que j'ai pensé faire, mais je veux écrire mes propres livres.

– Quel genre de livres ?

– Je ne sais pas. Je passe mon temps à écrire.

– Comme la plupart des jeunes gens.

– Pas ceux d'Accrington en tout cas. »

Il y a eu un silence. Puis le professeur d'anglais m'a demandé si je pensais que les femmes pouvaient être de grands écrivains. J'étais estomaquée. Cette question ne m'avait jamais traversé l'esprit.

« C'est vrai qu'on les trouve surtout au début de l'alphabet – Austen, Brontë, Eliot...

– Nous étudions ces auteurs, il va sans dire. Virginia Woolf n'est toutefois pas au programme, même si elle ne manque pas d'intérêt – mais comparée à James Joyce... »

C'était une bonne introduction aux préjugés et aux plaisirs des études à Oxford.

Je suis sortie de Sainte-Catherine et j'ai remonté Holywell Street jusqu'à la librairie Blackwell. Je n'avais jamais vu de magasin avec cinq étages de livres. J'étais prise de vertiges, comme si j'avais respiré trop d'oxygène d'un coup. Et je pensais aux femmes. Tous ces livres et tout le temps qu'il avait fallu aux femmes pour avoir la possibilité d'en écrire leur part, pourquoi y avait-il si peu de femmes poètes, romancières, et pourquoi étaient-elles encore moins nombreuses, celles que l'on considérait comme importantes ?

J'étais si excitée, débordant d'espoir, mais j'avais également été troublée par ce qu'on m'avait dit. En tant que femme, serai-je une observatrice plutôt qu'une collaboratrice ? Pouvais-je étudier ce que je ne pouvais rêver d'accomplir ? Que j'accomplisse quoi que ce soit ou non, je devais essayer.

Quand j'ai connu le succès, plus tard, et qu'on m'accusait d'arrogance, j'aurais voulu traîner à Accrington tous ces journalistes qui n'y comprenaient rien, et leur montrer que pour une femme, une femme de la classe ouvrière, vouloir être écrivain, un bon écrivain, et croire que l'on avait assez de talent pour cela, ce n'était pas de l'arrogance ; c'était de la politique.

Finalement, cette journée s'est bien terminée ; on m'a attribué une place pour l'année suivante.

Ce qui m'a conduite directement à Margaret Thatcher et à l'élection de 1979. Thatcher possédait la vigueur autant que les arguments et elle connaissait le prix d'une miche de pain. C'était une femme – grâce à elle, j'avais l'impression que moi aussi, je pouvais réussir. Si la fille d'un épicier pouvait devenir Premier ministre, alors une jeune femme comme moi pouvait bien écrire un livre qui trouverait sa place sur l'une des étagères de la Littérature anglaise en prose de A à Z.

J'ai voté pour elle.

C'est un cliché de dire que Thatcher a changé la face de nos deux partis politiques : le sien, et celui des travaillistes dans l'opposition. On a tendance à oublier que Reagan aux États-Unis et Thatcher au Royaume-Uni ont brisé à jamais le consensus d'après-guerre – un consensus qui durait depuis plus de trente ans.

Retour sur 1945. À l'époque, que vous soyez de gauche ou de droite en Grande-Bretagne ou en Europe de l'Ouest, il n'était pas envisageable de reconstruire les sociétés en recourant à la vision néolibérale dépassée et discréditée de l'économie de marché – la dérégulation du travail, l'instabilité des prix, l'absence de protection sociale pour les malades, les personnes âgées ou les chômeurs. Il allait nous falloir des logements, du travail en quantité, l'établissement de l'État-providence, la nationalisation des entreprises d'utilité publique et des transports.

Les peuples faisaient un grand pas vers la responsabilité collective ; nous prenions conscience que nous devions quelque chose non seulement à notre drapeau, à notre pays, à nos enfants et à nos familles, mais aussi les uns aux autres. Société. Civilisation. Culture.

Cette évolution des mentalités ne découlait pas des valeurs ou de la philanthropie victoriennes, et ne trouvait pas non plus sa source dans la pensée de la droite. Elle résultait des leçons pratiques données par la guerre, et – *cela est capital* – des arguments supérieurs du socialisme.

Le ralentissement économique qu'a connu la Grande-Bretagne dans les années 70, notre sortie du FMI, la flambée des prix du pétrole, la décision de Nixon de supprimer la convertibilité or du dollar, les querelles entre des syndicats désorganisés ainsi qu'une sorte de doute existentiel à gauche, tout cela a permis à la droite de Reagan/Thatcher de balayer d'un revers de la main ces pesants discours en faveur d'une société juste et égalitaire. Nous allions emboîter le pas de Milton Friedman et de ses amis issus de l'école de Chicago préconisant un retour au bon vieux laisser-faire de l'économie libérale, et maquiller le tout en nouveau dogme. Bienvenue TINA – There Is No Alternative/Il n'y a pas d'alternative.

En 1988, le ministre des Finances de Thatcher, Nigel Lawson, a qualifié le consensus d'après-guerre de « délire d'après-guerre ».

Je n'avais pas compris que lorsque l'argent devient la valeur cardinale, l'éducation va au plus fonctionnel et la vie de l'esprit n'est envisagée comme un bien qu'à partir du moment où elle offre des résultats quantifiables. Je n'avais pas non plus compris que le service public ne serait plus une priorité. Que faire le choix d'une vie autre que celle passée à consommer deviendrait aussi difficile que de trouver un logement à bas prix. Qu'en détruisant les communautés, on laisse prospérer l'intolérance et la misère.

J'ignorais que le thatchérisme financerait son miracle économique en vendant toutes nos richesses et nos industries.

Je n'ai pas compris les conséquences de la privatisation de la société.

Je passe sous le viaduc et longe le Quartier aux Usines. Puis je vois mon père en salopette sortir de l'église pentecôtiste d'Elim. Il a fait des travaux de peinture. Je ralentis, m'arrête presque. Je voudrais dire au revoir, mais je ne peux pas. M'a-t-il vue ? Je ne sais pas. Je jette un coup d'œil dans le rétroviseur. Il rentre à la maison. Je m'en vais.

Je sors de la ville, traverse Oswaldtwistle, passe devant

l'usine de biscuits pour chiens. Des gamins attendent près de l'entrée latérale dans l'espoir de récupérer les morceaux de biscuits verts et roses en forme d'os. Seul l'un d'entre eux est accompagné d'un chien.

Je conduis mon van Morris Minor – qui a succédé à l'Imp – dans lequel j'ai chargé mon vélo ainsi qu'une caisse de livres, une petite valise de vêtements, un sachet avec des sandwichs aux sardines et soixante-quinze litres d'essence dans des bidons parce que personne ne m'a dit qu'on pouvait faire le plein sur l'autoroute. Comme la dynamo de la Minor ne fonctionne pas très bien, je n'ose pas éteindre le moteur, si bien qu'il me faut me ranger sur le bas-côté, faire le tour du van en courant, remplir le réservoir de carburant et repartir. Ça m'est égal.

Je suis en route pour Oxford.

11

Art et mensonges

Durant notre première soirée d'étudiants de premier cycle, notre directeur d'études s'est tourné vers moi et a lancé : « Vous êtes notre expérience issue de la classe ouvrière. » Puis il s'est tourné vers la jeune femme qui allait devenir ma meilleure amie et a dit : « Vous êtes l'expérience noire. »

Nous avons vite compris que notre directeur était un homosexuel malveillant et que les cinq femmes de notre promotion ne recevraient aucun soutien. Il nous faudrait nous instruire seules.

D'une certaine façon, cela n'avait pas d'importance. Les livres nous entouraient et nous n'avions plus qu'à les lire – de *Beowulf* à Beckett, sans nous inquiéter du fait qu'il n'y ait que quatre femmes écrivains au programme, les sœurs Brontë envisagées comme un tout, George Eliot, Jane Austen et une poétesse, Christina Rossetti. Cette dernière n'a rien d'une grande poétesse, à l'inverse d'Emily Dickinson, mais personne n'était prêt à nous parler des grandes femmes. À Oxford, les femmes n'étaient pas victimes d'une conspiration du silence mais d'une conspiration d'ignorance. Nous avons formé notre propre groupe de lecture, et très vite, nous avons inclus à notre programme les auteurs contemporains – des femmes autant que des hommes – et le féminisme. Voilà que je lisais Doris Lessing et Toni Morrison, Kate Millet et Adrienne Rich. Elles étaient comme une nouvelle Bible.

Malgré son sexisme, son snobisme, ses attitudes patriarcales et son indifférence au bien-être des étudiants, ce qui fait la grandeur d'Oxford est le sérieux de son engagement et la croyance incontestée que la vie de l'esprit est au cœur de la vie civilisée.

Notre directeur d'études avait beau nous dénigrer, nous saper simplement parce que nous étions des femmes, la philosophie de l'université était de nous soutenir dans notre passion pour la lecture, la réflexion, le savoir et le débat.

À mes yeux, cela faisait une énorme différence. J'avais l'impression de vivre dans une bibliothèque, le lieu où j'avais toujours été la plus heureuse.

Plus je lisais, plus je me battais contre le présupposé selon lequel la littérature serait destinée à une minorité – instruite ou issue d'une classe particulière. J'avais moi aussi droit aux livres. Je n'oublierai pas mon excitation à la découverte du premier poème répertorié de la langue anglaise, composé par un berger de Whitby vers 680 après J.-C. (« L'hymne de Caedmon ») à l'époque où l'abbaye de la ville était dirigée par sainte Hilda.

Imaginez un peu... une femme au pouvoir et un garçon vacher illettré qui crée un poème d'une si grande beauté que les moines instruits l'ont couché sur le papier et l'ont raconté aux visiteurs et aux pèlerins.

C'est une bien belle histoire que raconte ce poème – Caedmon préfère la compagnie des vaches à celle des gens et ne connaissant ni poésie ni chanson, il retourne

bien vite à ses vaches et à sa tranquillité à la fin des festivités organisées par l'abbaye où tous sont invités à chanter
ou à réciter des poèmes. Mais cette nuit-là, un ange apparaît et lui demande de chanter – s'il peut chanter pour ses
vaches, il peut chanter pour l'ange. Caedmon répond tris-
tement qu'il ne connaît pas de chanson, mais l'ange lui dit
de chanter quand même – de chanter la création du monde.
Caedmon ouvre alors la bouche et il en sort une chanson.
(Allez jeter un coup d'œil à l'un des premiers récits qu'en
donne Bède le Vénérable dans *L'Histoire ecclésiastique du
peuple anglais*.)

Plus je lisais, plus je me sentais liée à travers le temps à
d'autres vies et éprouvais une empathie plus profonde. Je me
sentais moins isolée. Je ne flottais pas sur mon petit radeau
perdu dans le présent ; il existait des ponts qui menaient à
la terre ferme. Oui, le passé est un autre pays, mais un pays
que l'on peut visiter et dont on peut rapporter ce dont on
a besoin.

La littérature est un terrain d'entente. Un terrain qui n'est
pas géré que par des intérêts commerciaux ni exploité comme
une mine à ciel ouvert à l'instar de la culture populaire
– tirez au maximum profit de la dernière nouveauté et passez à autre chose.

Nombreux sont les débats où l'on oppose le monde appri-
voisé au monde sauvage. En tant qu'êtres humains, nous
avons non seulement besoin d'une nature sauvage, mais aussi
de l'espace ouvert et libre de notre imagination.

La lecture est le pays des Maximonstres.

À la fin de mon premier trimestre à Oxford, nous étudions les *Quatre Quatuors* de T. S. Eliot.

> Au faîte de l'arbre oscillant
> Nous oscillons dans la lumière
> Qui baigne la feuille ouvragée
> Entendant sur le sol trempé
> Sanglier et limier poursuivre
> Leur motif ainsi que devant
> Mais réconciliés dans les astres.

Je pensais au motif ; le passé est si difficile à déplacer. Il nous suit comme un chaperon, s'élevant entre la nouveauté du présent et nous – la nouvelle chance.

Je me demandais si le passé pouvait être racheté – être « réconcilié » –, si vieilles guerres et vieux ennemis, sanglier et limier pouvaient trouver un semblant de paix.

Je me posais cette question parce que j'envisageais de rendre visite à Mrs Winterson.

L'éventualité que l'on puisse se hisser au-dessus du conflit ordinaire est séduisante. Jung arguait qu'un conflit ne peut jamais se résoudre à son apogée – à ce niveau, il n'y a qu'un gagnant et un perdant, pas de réconciliation. Le conflit doit prendre de la hauteur – comme observer un orage d'un point culminant.

Il y a ce passage merveilleux à la fin du *Troïle et Crisède* de Chaucer où Troïle, vaincu et mort, atteint la Septième Sphère et contemple le monde sublunaire – le nôtre – et rit parce qu'il en saisit maintenant l'absurdité – ces choses insignifiantes, ces querelles que nous nourrissons, ces situations inextricables.

L'esprit médiéval aimait l'idée de la mutabilité et de tout ce qui arrivait de chaotique et d'incompréhensible sous l'orbe de la lune. Nous levons les yeux au ciel, nous regardons les étoiles en pensant observer l'univers. L'esprit médiéval s'imaginait lui regarder à *l'intérieur* – que la terre était un avant-poste miteux, la poubelle cosmique de Mrs Winterson, et que le centre était, eh bien, au centre, le noyau de l'ordre de Dieu procédant de l'amour.

J'aime l'idée que l'ordre procède de l'amour.

Je comprenais, de manière tout à fait obscure, qu'il me faudrait trouver le point où ma propre vie pourrait se réconcilier avec elle-même. Je savais que cette quête était liée à l'amour.

J'ai écrit à Mrs Winterson pour lui demander si elle aimerait que je vienne pour les vacances de Noël – et si elle m'autorisait à amener une amie. Étonnamment, elle a accepté.

Elle n'a pas voulu savoir ce que j'avais fait depuis la dernière fois où nous nous étions vues – aucune référence à la remarque heureux/normal, ni à mon départ de la maison, mes études à Oxford. Je n'ai pas tenté d'expliquer quoi que ce soit. Aucune de nous deux ne trouvait ça étrange parce que dans le monde Winterson, ça ne l'était pas.

Elle était entourée de son nouvel orgue électronique et de sa CB avec ses écouteurs de la taille d'un engin prévu pour la détection de vie extraterrestre.

J'étais accompagnée de mon amie Vicky Licorish. J'avais déjà prévenu Mrs Winterson qu'elle était noire.

Tout a merveilleusement commencé parce que Mrs Winterson adorait faire œuvre missionnaire et semblait penser qu'avoir une amie noire était une entreprise missionnaire en soi. Elle s'est renseignée auprès des vétérans qui avaient connu l'Afrique et leur a demandé : Que mangent ces gens ?

La réponse a été : des ananas. Je ne sais pas pourquoi. Y a-t-il des ananas en Afrique ? De toute façon, la famille de Vicky était de Sainte-Lucie.

Mrs Winterson n'était pas raciste. Sa tolérance était elle aussi du genre missionnaire, en ce sens qu'elle était condescendante, mais elle s'insurgeait toujours contre les critiques basées sur la couleur de la peau ou l'ethnicité.

Une attitude singulière à une époque où les Pakistanais commençaient à arriver en masse dans les villes blanches de la classe ouvrière où le travail venait à manquer. En ce temps-là déjà, on ne parlait plus de l'héritage de l'empire. La Grande-Bretagne avait colonisé, possédé, occupé et affecté la moitié de la planète. Nous avions découpé des pays et en avions créé d'autres. S'il arrivait qu'une partie du monde que nous avions façonné de force réclamât une compensation, nous poussions des cris d'orfraie.

Mais l'église d'Elim ouvrait ses portes à tous et on nous apprenait à faire un effort pour « nos amis venus d'autres rives. »

À notre arrivée à Accrington, Mrs Winterson a donné une couverture qu'elle avait tricotée à Vicky pour qu'elle n'ait pas froid. « Ils supportent mal le froid », m'a-t-elle dit.

Mrs Winterson marchait à l'obsession et tricotait pour

Jésus depuis environ un an. L'arbre de Noël arborait des décorations en tricot, et le chien était harnaché dans un manteau de Noël en laine rouge constellé de flocons blancs. La crèche non plus n'avait pas échappé au tricot et tous les bergers portaient des écharpes parce que Bethléem était sur le trajet du bus qui allait à Accrington.

Quand il a ouvert la porte, mon père portait un nouveau pull et une cravate assortie. La maison avait été retricotée de fond en comble.

Aucune importance. Aucun signe du revolver. Mrs W avait mis son plus beau dentier.

« Vicky, asseyez-vous. Je vous ai préparé des toasts au fromage et à *l'ananas.* »

Vicky a cru que c'était une douceur du Lancashire.

Le lendemain, on lui a servi du jambon fumé avec de l'ananas suivi d'ananas en morceaux au sirop. Puis, il y a eu les beignets à l'ananas et le gâteau renversé à l'ananas et l'ananas à la crème et le poulet chinois à l'ananas, de l'ananas et des cubes de cheddar plantés sur un demi-chou recouvert de papier alu.

« Je n'aime pas l'ananas », a fini par avouer Vicky.

Grosse erreur. L'humeur de Mrs Winterson a changé du tout au tout. Elle a annoncé qu'elle ferait des burgers pour le prochain repas. Nous avons dit très bien, mais ce soir, nous sortons au pub manger des langoustines-frites.

Vers vingt-deux heures, quand nous sommes rentrées, nous avons trouvé Mrs Winterson plantée devant le four à gaz, l'air farouche. La pièce empestait l'huile et la graisse de viande brûlées.

Dans la minuscule cuisine en appentis, Mrs Winterson

retournait mécaniquement des choses noires grosses comme des boutons.

« Je fais cuire ces burgers depuis six heures du soir.

— Mais tu savais que nous sortions.

— Tu savais que je cuisinais des burgers. »

Démunies face à cette situation, nous sommes allées nous coucher — Vicky en haut, moi dans le séjour sur un matelas pneumatique. Le lendemain matin, la table du petit déjeuner était mise. Au centre s'élevait une pyramide de boîtes d'ananas qui n'avaient pas été ouvertes et une carte postale de style victorien avec deux chats dressés sur leurs pattes arrière, habillés comme un couple et dont la légende disait : « Personne ne nous aime. »

Alors que nous nous demandions s'il valait mieux prendre nos jambes à notre cou et partir travailler ou courir le risque de nous faire des tartines, Mrs Winterson est entrée en trombe, a saisi la carte et l'a jetée sur la table. « Ça, c'est ton père et moi », a-t-elle déclaré.

Vicky et moi nous étions dégoté un petit boulot à l'hôpital psychiatrique pour la période de Noël ; l'énorme édifice victorien où j'avais vécu et travaillé durant mon année sabbatique. Il était entouré d'un parc considérable, possédait son propre camion de pompiers et avait même un club de rencontres. Il accueillait les âmes dérangées, dangereuses, détraquées, damnées. Certaines des résidentes les plus anciennes avaient été enfermées parce qu'elles avaient eu un bébé, ou parce qu'elles avaient tenté de tuer leur nourrisson, et d'autres avaient été enfermées avec leur progéniture. C'était un monde étrange à la fois solitaire et social.

J'aimais y travailler, nettoyer le vomi et la merde, servir

les repas depuis de gigantesques plateaux roulants en acier. Il m'est arrivé d'effectuer des gardes de douze heures. Peut-être que la folie furieuse des lieux apaisait mon propre esprit troublé. J'éprouvais de la compassion. Je me disais que j'avais de la chance. C'est si facile de devenir fou.

La seule chose que je détestais était la distribution des médicaments. Les patients internés étaient mis sous sédatifs, calmants – les seringues et les comprimés semblaient plus inoffensifs que les cellules capitonnées et les camisoles de force mais je ne suis pas certaine que c'était vraiment le cas. Tous les services sentaient le Valium et le Largactil – ce médicament qui vous détruit les dents.

Vicky et moi allions travailler en essayant de ne pas remarquer qu'à la maison, sur Water Street, régnait une atmosphère plus démente qu'à l'hôpital. La maison était lugubre et craquait de partout – comme une demeure sortie de l'imagination d'Edgar Poe. Les guirlandes de Noël étaient allumées, mais leurs lumières colorées rendaient l'endroit encore plus effroyable.

Mrs Winterson ne nous a pas adressé la parole pendant presque une semaine. Puis, un soir où il neigeait, nous avons vu un groupe entonner des chants de Noël dans la rue. J'ai compris que les membres de l'église étaient réunis à la maison.

Mrs Winterson était enjouée. Elle portait une jolie robe et à notre arrivée, elle nous a accueillies chaleureusement. « Je vais apporter la roulotte – vous voulez un friand ?

– La roulotte ? m'a demandé Vicky en imaginant déjà une diligence prise dans une fusillade.

– C'est la version régionale d'une desserte avec chauffe-plats », ai-je dit pendant que Mrs Winterson fonçait dans le séjour avec une pile de friands bien au chaud.

À cet instant, un groupe rival de choristes est apparu – des gens de l'Armée du Salut, mais Mrs Winterson ne voulait pas en entendre parler. Elle a ouvert la porte et a hurlé : « Jésus est ici. Allez-vous-en.

– C'était un peu violent, maman.

– Je supporte déjà tellement de choses, m'a-t-elle répondu en me lançant un regard lourd de sens. Je sais que la Bible nous dit de tendre l'autre joue, mais on n'a que deux joues pour toute une journée. »

Ce n'était pas facile pour Vicky. Le soir du réveillon de Noël, en montant se coucher, elle s'est aperçue que sa taie d'oreiller était en fait remplie de tracts religieux sur l'Apocalypse. Elle commençait à découvrir ce que c'était que de vivre la fin des temps.

« C'est dur pour votre peuple, là d'où vous venez, a dit Mrs Winterson.

– Je suis née à Luton », a rétorqué Vicky.

Mais c'était *vraiment* dur pour elle. Ça l'aurait été pour n'importe qui. Les guirlandes en papier crépon qui pendaient au plafond ont pris un air de chaînes pour entraver des fous.

Mon père passait la plupart de son temps dans l'appentis au fond de la cour à fabriquer une installation pour l'église. J'imagine que c'était une sorte d'autel évangélique. Le pasteur voulait quelque chose pour le catéchisme qui puisse décorer l'église sans que ça ait l'air d'« images gravées » puisque selon l'Exode, elles sont interdites.

Papa aimait sculpter des figurines en argile et les peindre. Il en était à la septième figurine.

« Qu'est-ce que c'est ? » a demandé Vicky.

Il s'agissait des Sept Nains délivrés : Blanche-Neige n'avait pas sa place car elle ressemblait sans doute trop à cette autre hérésie catholique qu'est la Vierge Marie. Les nains portaient de petites plaques avec leur nom : Optimiste, Fidèle, Joyeux, Dévot, Brave, Prêt et Volontaire.

Papa peignait calmement. « Ta mère est vexée », a-t-il dit. Nous savions tous les deux ce que cela voulait dire.

Dans la cuisine, Mrs Winterson préparait une crème renversée. Elle tournait la spatule dans la casserole dans un mouvement obsessionnel comme quelqu'un qui remuerait les eaux sombres des profondeurs. Alors que nous revenions de la cour, elle a dit, sans lever les yeux de la casserole : « Le péché. C'est ça qui gâche tout. »

Vicky n'avait pas l'habitude de ces conversations qui alternaient accès de silence durant des jours et déclarations apocalyptiques découlant d'une réflexion que nous étions tous censés partager, on ne sait par quel miracle. Je voyais bien que les nerfs de Vicky étaient mis à rude épreuve et je sentais que papa essayait de me prévenir de quelque chose. Je suis allée jeter un coup d'œil dans le tiroir à chiffons. Le revolver n'y était pas.

« Je crois qu'il est temps qu'on parte », ai-je lancé à Vicky.

Le lendemain matin, j'ai prévenu maman que nous nous en allions. Elle a dit : « Tu le fais exprès. »

La maison. Deux-en-haut deux-en-bas. Le long couloir

sombre et les chambres exiguës. La cour avec les toilettes, les poubelles et la niche de la chienne.

« Au revoir, maman. »

Elle n'a pas répondu. Ni à ce moment-là. Ni plus tard. Je n'y suis jamais retournée. Je ne l'ai jamais revue.

Intermède

Dans mon travail, j'ai lutté contre le temps de l'horloge, le temps du calendrier, les développements linéaires. Le temps peut bien stopper d'un coup le cours des choses, mais le domaine du temps est le monde extérieur. Dans notre monde intérieur, on peut faire l'expérience d'événements qui donnent l'impression de se produire simultanément. Notre moi non linéaire s'intéresse beaucoup moins au « quand » qu'au « pourquoi ». Je suis arrivée au mitan de ma vie biologique et créative. Je mesure le temps comme nous le faisons tous, en partie à travers l'affaiblissement du corps, mais afin de défier le temps linéaire, j'essaye de vivre en temps absolu. J'admets que la vie a un intérieur autant qu'un extérieur et que des événements séparés par des années se côtoient sur un plan imaginaire et émotionnel.

Le travail créatif enjambe le temps parce que l'énergie de l'art n'est pas liée au temps. Si c'était le cas nous ne nous pencherions pas sur l'art du passé, sauf d'un point de vue historique ou documentaire. Mais notre intérêt pour l'art correspond à l'intérêt que nous nous portons à nous-mêmes au présent et de tout temps. Ici et à jamais. Il y a cette impression que l'esprit humain a toujours existé. Cela rend notre propre mort tolérable. Vie + art est une communion/

communication tapageuse avec les morts. C'est un combat de boxe avec le temps.

J'aime le vers de T. S. Eliot dans *Quatre Quatuors* « Cela qui vit seulement/Peut seulement mourir ». Ça, c'est la flèche du temps, le trajet éclair de l'utérus au tombeau. Mais la vie est plus qu'une flèche.

Le trajet utérus-tombeau d'une vie intéressante – mais je ne peux pas écrire la mienne ; je n'ai jamais pu. Pas avec *Les Oranges*. Pas plus aujourd'hui. Je préfère continuer de me lire comme une fiction que comme un fait.

Le fait est que je vais sauter vingt-cinq ans. J'y reviendrai peut-être plus tard...

12

La traversée nocturne

Quand j'étais petite – de la taille à se cacher sous les tables et à grimper dans les tiroirs – j'ai grimpé dans un tiroir en faisant comme si c'était un navire et le tapis la mer.

J'ai trouvé ma bouteille à la mer. J'ai trouvé un certificat de naissance. Sur le certificat était inscrit le nom de mes parents biologiques.

Je n'en ai jamais parlé à personne.

Je n'ai jamais voulu partir à la recherche de mes parents biologiques – n'ayant pas eu de chance avec le premier lot, chercher à en avoir un deuxième semblait autodestructeur. Je ne comprenais rien à la vie de famille. J'ignorais que l'on pouvait aimer ses parents, ou qu'ils pouvaient vous porter assez d'amour pour vous autoriser à être vous-même.

J'étais une solitaire. Je m'étais inventée. Je ne croyais ni à la biologie ni à la biographie. Je croyais en moi. Des parents ? Pour quoi faire ? Si ce n'est vous faire du mal.

Mais dans ma trentième année, alors que j'écrivais le scénario pour l'adaptation télévisée des *Oranges ne sont pas les seuls fruits*, j'ai renommé l'héroïne Jess. Elle s'appelle Jeanette dans le livre, mais la télévision est trop littérale ; même quand une œuvre est classée dans la catégorie littérature, il est très difficile de défendre l'ambiguïté et l'espièglerie *tout en* employant son propre nom. Alors transposez-la dans la case Télévision

– comédie dramatique – et j'étais persuadée de ne plus jamais pouvoir me défaire de l'étiquette histoire « vraie ».

D'ailleurs, je n'y ai pas échappé... mais au moins, j'aurai essayé.

Puisqu'il fallait choisir un nom, j'ai pris celui qu'il y avait sur le certificat de naissance. Apparemment, ma mère s'appelait Jessica, alors j'ai prénommé mon personnage Jess.

Les Oranges a tout raflé – BAFTA, RTS, de nombreux prix à l'étranger dont un pour le scénario à Cannes – et a fait l'objet d'un grand débat en 1990 à cause du contenu du film et de son traitement. Il est devenu un repère pour la culture gay, et j'espère qu'il est aussi devenu un repère culturel. Je pense que oui. En 2008, un sondage désignant les meilleurs films produits par la BBC a placé *Les Oranges* en huitième position.

Je pensais qu'avec tout ce battage médiatique, y compris et surtout dans les tabloïds (la mise à mort des convenances, etc.), ma mère Jess en entendrait parler et ferait le lien.

Mais non.

Avance rapide jusqu'en 2007 et pour l'instant, je n'ai pas levé le petit doigt pour découvrir mon passé. Ce n'est pas « mon passé », si ? J'ai écrit un palimpseste. J'ai enregistré par-dessus. Je l'ai repeint. La vie est faite de couches, elle est fluide, mouvante, fragmentaire. Je n'ai jamais pu écrire d'histoire avec un début, un milieu et une fin parce que cela ne me paraissait pas fidèle à la réalité. Voilà pourquoi j'écris comme je le fais. Ce n'est pas une méthode ; c'est moi.

J'écrivais un livre intitulé *The Stone Gods*. Il s'agit d'un roman d'anticipation même si la seconde partie se déroule dans le passé. J'y imagine que notre monde instable est découvert par une civilisation extraterrestre avancée mais destructrice dont la planète se meurt. Une mission est envoyée sur la Planète bleue. Elle ne rentre pas.

Pour chacun de mes livres, une phrase se forme dans mon esprit, pareille à un mascaret. Comme les citations collées sur les murs, du temps où nous vivions au 200 Water Street ; des exhortations, des maximes, le faisceau lumineux d'un phare pour ne pas oublier et nous mettre en garde.

La Passion de Napoléon : « Je vous raconte des histoires. Croyez-moi. »

Écrit sur le corps : « Pourquoi l'amour se mesure-t-il à l'étendue de la perte ? »

Powerbook : « L'homme libre ne pense jamais à la fuite. »

The Stone Gods : « Toute chose garde l'empreinte de ce qu'elle a été un jour. »

Dans mon roman précédent, *Garder la flamme*, j'avais travaillé sur l'idée d'un disque fossile. J'y revenais donc – l'impression d'écrire par-dessus, certes, mais tout en restant lisible. Les formes et les couleurs révélées à la lumière ultraviolette. Le fantôme pris dans la machine et qui s'invite dans le nouvel enregistrement.

Quelle était l'« empreinte » ?

Je traversais une période difficile. J'étais en couple depuis six ans avec la metteur en scène Deborah Warner, mais notre relation battait de l'aile et nous rendait malheureuses.

J'essayais d'écrire. Le livre me poussait. La création agit comme un détecteur de mensonges. J'avais envie de me mentir – si tant est que les mensonges sont un réconfort et une couverture.

Au printemps 2007, la seconde femme de mon père, Lillian, est brutalement décédée. Elle avait dix ans de moins que lui, c'était une femme vivante et joyeuse. Une prothèse de la hanche mal faite avait entraîné une gangrène du pied, la gangrène l'avait empêchée de marcher, l'immobilité lui avait donné du diabète, le diabète l'avait conduite à l'hôpital où elle était censée rester trois jours. Trois semaines plus tard, elle en sortait dans un cercueil.

Papa et Lillian avaient trouvé un hébergement temporaire dans la maison de repos d'Accrington dirigée par une femme merveilleuse prénommée Nesta. Elle avait été comique sur un bateau de croisière – et il faut un sacré sens de l'humour pour s'occuper d'une maison de repos. Elle avait décidé d'arrêter de gagner sa vie en racontant des blagues et de reprendre l'affaire familiale. Elle et moi avons discuté de la situation, et avons conclu qu'il valait mieux que papa s'installe définitivement dans l'établissement dès qu'une place se libérerait. Il pourrait se rendre à l'église le dimanche, ferait une sortie par semaine et il aurait de la visite. Je ferais les cinq cent soixante kilomètres aller-retour pour lui rendre visite une fois par mois.

Je suis montée à Accrington en voiture, j'ai vidé son pavillon et me suis affairée à tout régler, préoccupée comme on l'est dans ces situations – la paperasserie interminable de la mort.

Il ne restait plus aucune photo, puisqu'elles avaient toutes été prises par l'horrible Oncle Alec (l'homme aux dobermans) même si je ne savais pas bien ce qu'il pouvait en faire. À vrai dire, il ne restait rien de la vieille époque, mais il y avait un coffre fermé à clé…

Un trésor ? J'ai toujours cru qu'en fait, c'était là que se trouvait le trésor enterré...

Je suis allée chercher un tournevis et un marteau dans ma voiture, j'ai enfoncé le tournevis dans la serrure. Le couvercle a sauté.

À ma plus grande horreur, le coffre était rempli de vaisselle Royal Albert, dont un présentoir à gâteaux à trois étages. Pourquoi papa avait-il dissimulé les vestiges du service Royal Albert dans un coffre de pirate digne de Long John Silver ?

D'autres éléments de vaisselle m'ont fait venir le goût de mon enfance dans la bouche. Les assiettes « cottage » de Mrs Winterson, peintes à la main, dotées d'un liseré doré, et avec au centre, un petit cottage isolé au fond d'un bois... (assez similaire à celui où je vis à présent).

Il y avait les médailles de guerre de papa, des notes et des lettres de Mrs Winterson et quelques pauvres effets personnels, et des choses horribles sur moi, si bien que j'ai jeté tout cela ainsi que certaines de ses listes de courses hebdomadaires et ses budgets, mais le plus triste était la lettre qu'elle avait écrite à papa d'une écriture ronde bien que très tremblée lui expliquant étape par étape ce qu'il devrait faire quand elle serait morte – la police d'assurance pour les funérailles... les papiers de la retraite... les actes notariés de la maison.

Pauvre papa – s'attendait-il à survivre à deux épouses ? Contrairement à Mrs Winterson, Lillian n'avait laissé aucune instruction – mais comme j'étais là pour prendre la situation en main, les choses ne se sont pas trop mal déroulées.

J'ai soulevé le plat à saumon Royal Albert. Dessous, il y avait une petite boîte. Une boîte dans une boîte... elle n'était pas fermée à clef… quelques bijoux, des enveloppes et des papiers pliés avec soin.

Le premier papier était une ordonnance du tribunal datant de 1960. C'était le papier officiel de mon adoption. Le deuxième était une sorte de certificat médical : je n'étais pas mentalement déficiente. J'étais bonne pour l'adoption. J'avais été nourrie au sein…

Et j'avais un nom – violemment rayé. L'en-tête du papier avait également été déchiré pour que je ne puisse pas lire le nom du médecin ou de l'agence d'adoption, et les noms figurant au bas de la page avaient eux aussi été déchirés.

J'ai examiné l'ordonnance du tribunal. Elle portait également un nom – celui de ma mère – rayé.

Les caractères de la machine à écrire et le papier jauni. C'est si vieux. Ces choses ont l'air d'avoir cent ans. J'ai cent ans. Le temps est un gouffre.

Il fait sombre à présent. Je suis assise par terre dans le petit pavillon vide, emmitouflée dans mon manteau. Je ne sens plus que l'absence des meubles familiers. J'ai pénétré dans une pièce dont je ne reconnais pas l'ameublement. Le passé existe, finalement, peu importent mes efforts pour le raturer.

Comme le nom sur ces papiers – le nom raturé – mon passé est là – ici – à présent. Le gouffre se referme autour de moi. Je me sens prise au piège.

Je ne sais pas pourquoi cela est important. Pourquoi cela paraît si terrible. Pourquoi ne l'ont-ils jamais dit, ne me l'ont-ils jamais montré ? Pourquoi l'auraient-ils fait ? Un bébé est un bébé. Le bébé reprend tout du début. Pas de biographie, pas de biologie.

Puis un enchaînement de phrases se met à tourner dans ma tête – des phrases tirées de mes livres – « Je continue d'écrire cette histoire car un jour ou l'autre elle la lira. » « Je drague mon écran à ta recherche, à ma propre recherche. [...] Sans doute n'ai-je jamais cessé de nous chercher, toi et moi, toute ma vie. »

J'ai écrit des histoires d'amour et de perte – des histoires de désir et d'appartenance. Cela paraît si évident, aujourd'hui – les obsessions wintersoniques d'amour, de perte et de désir. C'est ma mère. C'est ma mère. C'est ma mère.

La mère est notre première histoire d'amour. Ses bras. Ses yeux. Sa poitrine. Son corps.

Si plus tard on la déteste, on reporte cette rage sur nos amant(e)s. Si on en vient à la perdre, où peut-on la retrouver ?

J'entretiens un rapport obsessionnel aux textes que j'insère ensuite dans les miens. La légende du Graal, notamment – un coup d'œil et ce qui est la chose la plus précieuse au monde disparaît, ne vous laissant plus d'autre choix que de repartir à sa recherche.

Le Conte d'hiver. Ma pièce préférée de Shakespeare : un bébé est abandonné. Un monde mal en point qui ne se relèvera que si « ce qui est perdu n'est pas retrouvé ».

Relisez cette phrase. Non pas : « ce qui était perdu ». Mais « ce qui est perdu ». L'emploi du présent nous montre combien la perte est terrible. C'est arrivé il y a bien longtemps, certes – mais ce n'est pas le passé. C'est un présent ancien, une perte ancienne qui nous fait souffrir encore chaque jour.

Peu après cette découverte, j'ai glissé vers la folie. Il n'y a pas d'autre mot pour le décrire.

Deborah m'a quittée. Nous nous sommes violemment disputées une dernière fois à cause de mes peurs et de l'indifférence de Deborah, et le lendemain, tout était terminé entre nous. Fini.

Deborah avait raison de partir. Ce qui avait commencé dans l'espoir s'était mué en lente torture. Je ne lui reproche rien. Beaucoup de ce que nous avons partagé a été merveilleux. Mais ainsi que j'allais le découvrir, j'ai un gros problème avec le foyer, construire un foyer, construire un foyer avec quelqu'un. Dehorah adore être loin de chez elle et s'épanouit dans ce mode de vie. C'est un coucou.

J'aime retrouver mon foyer – et ma vision du bonheur est de rentrer chez moi retrouver la personne que j'aime. Nous n'avons jamais pu résoudre cette différence et je n'aurais pas imaginé qu'une simple petite différence puisse mener à quelque chose d'aussi complexe qu'une dépression. L'abandon soudain, inattendu, si resserré autour de l'idée/ l'impossibilité de foyer, a fait l'effet d'une fusée dirigée vers un espace enfoui au plus profond de mon être. Dans cet espace emmuré, étouffée par le temps, se trouvait ma mère, tel un anachorète.

Deborah n'avait pas voulu faire remonter à la surface ce sentiment de « perte égarée », et ne savait même pas qu'il était là – pas de manière factuelle – même si les motifs de mon comportement en donnaient un indice.

Le calvaire que je vivais chaque fois que Deborah ne répondait pas à mes appels, ma confusion et ma fureur, tous ces états émotionnels me rapprochaient toujours plus de la porte verrouillée que je n'avais jamais voulu ouvrir.

Cela ressemble à un choix conscient. La psyché est tellement plus raffinée que ce que la conscience nous laisse en percevoir. Nous enterrons les choses si profondément que l'on ne se souvient plus qu'il y avait quelque chose à enterrer. Notre corps s'en souvient. Nos crises névrotiques s'en souviennent. Mais pas nous.

De plus en plus régulièrement, je me réveillais en pleine nuit, à quatre pattes en train de hurler « Maman, maman ». Trempée de sueur.

Les trains arrivaient. Les portes des trains s'ouvraient. J'étais incapable de monter à bord. Humiliée, j'annulais mes engagements, mes rendez-vous, sans jamais pouvoir me justifier. Il m'arrivait de ne pas sortir de chez moi pendant des jours, j'errais dans mon grand jardin en pyjama, je me nourrissais, mais pas toujours, ou bien on me trouvait assise dans l'herbe avec une boîte de haricots froids. Images habituelles de la détresse.

Si j'avais vécu à Londres ou dans n'importe quelle ville, je me serais tuée à cause d'une inattention au volant – ma voiture, la voiture de quelqu'un d'autre. Je pensais au suicide parce qu'il me fallait avoir cette option. Je devais pouvoir y penser et les bons jours, je le faisais parce que cela me donnait l'impression de reprendre un peu le contrôle – pour la dernière fois, c'est moi qui aurai le contrôle.

Les mauvais jours, je me raccrochais à un fil de plus en plus ténu.

Ce fil était la poésie. Toute cette poésie que j'avais apprise quand j'avais dû me créer une bibliothèque intérieure me servait à présent de bouée de sauvetage.

Il y a un champ devant chez moi, très pentu, abrité par un mur de pierres sèches et qui offre une large vue sur les collines alentour. Dans les pires moments d'accablement, j'allais dans le champ m'adosser au muret et je ne quittais plus le paysage du regard.

La campagne, le monde naturel, mes chats et la Littérature anglaise de A à Z étaient ce sur quoi je pouvais me reposer pour tenir bon.

Mes amis ne m'ont jamais tourné le dos et chaque fois que je le pouvais, je leur parlais.

Mais la plupart du temps, j'en étais incapable. Le langage m'avait désertée. J'avais regagné ce lieu d'avant la maîtrise du langage. Le lieu abandonné.

Où es-tu ?

Mais ce qui vous est propre ne vous quitte jamais. Si je ne trouvais pas les mots pour décrire mon état de manière directe, de temps en temps, j'arrivais à écrire et je le faisais par accès lumineux qui me montraient, même fugitivement, qu'il existait encore un monde – vivable et splendide. Je pouvais devenir ma propre fusée éclairante qui me permettrait d'y voir clair. Puis je sombrais de nouveau dans les ténèbres.

J'avais déjà écrit deux livres pour enfants, *The King of Capri*, un album illustré, ainsi qu'un roman pour adolescents intitulé *L'Horloge du temps*. Ce dernier parle d'un monde où le temps, comme l'huile ou l'eau ou n'importe quelle denrée essentielle, vient à manquer.

Je les avais écrits pour mes filleuls, des enfants et des livres qui me procuraient un plaisir simple.

De retour de Hollande en décembre 2007, j'avais épuisé mes dernières ressources pour donner une conférence importante tout en essayant de paraître normale. Les suées m'avaient reprise, et en rentrant à la maison, je n'ai même pas pu trouver la force d'allumer un feu. Je me suis donc assise avec une boîte de haricots, mon manteau toujours sur le dos, et les deux chats sur les genoux.

J'ai imaginé une histoire – un conte de Noël raconté du point de vue d'un âne, intitulé « Le Lion, la Licorne et moi ». L'âne a le nez qui se transforme en or dès qu'il lève la tête pour braire et l'ange, installé sur les solives de l'étable mangée par les vers, lui effleure le nez du pied.

J'étais l'âne. J'avais besoin d'un nez qui se transforme en or.

J'ai rédigé le texte durant la nuit – ce qui m'a tenue éveillée jusqu'à près de cinq heures du matin, puis j'ai dormi et dormi pendant presque vingt-quatre heures.

L'histoire a paru dans le *Times*. Le jour du réveillon de Noël, une femme adorable m'a envoyé un mail où elle disait que mon histoire lui avait tiré des larmes et me demandait si sa maison d'édition pouvait l'illustrer et la publier.

C'est ce qui s'est passé.

Et les livres n'avaient pas fini de me sauver. Si la poésie était une bouée de sauvetage, alors les livres étaient des radeaux. Dans mes moments les plus fragiles, je tenais en équilibre sur un livre, et ces livres m'ont portée sur des marées d'émotions qui refluaient en me laissant trempée et anéantie.

L'émotion. Moi qui voulais ne surtout rien éprouver.

À cette époque, mon seul répit était d'aller à Paris me cacher dans la librairie Shakespeare & Company.

J'étais devenue amie avec la propriétaire, Sylvia Whitman, une jeune femme qui investit son énergie et son enthousiasme inépuisables dans tout ce qu'elle entreprend. Son père, George, qui a ouvert le magasin sur son site actuel en 1951 non loin de Notre-Dame, vivait au-dessus de la librairie, perché dans son nid comme un vieil aigle.

Sylvia s'était arrangée pour que je séjourne à l'hôtel Esmeralda, un endroit vieillot juste à côté. Dans ma chambre au dernier étage, sans téléphone, ni télévision, et juste un lit, un bureau et la vue sur la cathédrale, je me suis aperçue que j'arrivais à dormir, et même à travailler.

Je pouvais aussi rester toute la journée et une partie de la nuit dans la pièce des livres anciens de la librairie, à lire avec Colette, la chienne de Sylvia pour compagne, et quand j'avais besoin de me dégourdir les jambes, Colette venait avec moi. C'était une échappatoire simple et sans danger.

Je n'avais aucune responsabilité au magasin et on s'occupait de moi. Un jour, je suis arrivée avec une infection pulmonaire et Sylvia n'a pas voulu que je rentre chez moi. Elle m'a fait de la soupe, a échangé mes billets de train, m'a acheté un pyjama et m'a mise au lit.

J'avais l'impression de revivre les jours heureux de la bibliothèque d'Accrington. J'étais en sécurité. J'étais entourée de livres. Ma respiration est redevenue plus forte, plus stable et je ne me sentais plus hantée. Ces moments ne duraient pas, mais ils étaient précieux.

Je n'allais pas mieux. J'allais moins bien.

Je ne suis pas allée chez le médecin parce que je ne voulais pas prendre de médicaments. Si cette dépression devait me tuer, alors qu'elle me tue. Si le reste de ma vie devait être ainsi alors je ne pouvais pas continuer à vivre.

J'avais clairement conscience que je ne pouvais pas reconstruire ma vie ou en recoller les morceaux. Je n'avais aucune idée de ce qui pouvait s'étendre au-delà du point où je me trouvais. Je savais seulement que le monde d'avant avait disparu pour toujours.

Je me représentais comme une maison hantée. Impossible de deviner quand la créature invisible allait frapper – car cela me faisait l'effet d'un coup, une torsion au creux de la poitrine ou de l'estomac. C'était d'une telle violence que j'en pleurais.

Parfois je me recroquevillais par terre. Parfois je tombais à genoux et me raccrochais au coin d'un meuble.

C'est un moment... sachez qu'une autre vision...

Tiens bon, tiens bon, tiens bon.

Je ne me suis jamais coupée du monde naturel pour lequel j'ai une vraie passion. La beauté des arbres et des champs, des collines et des courants, des couleurs changeantes, des petites bêtes toujours affairées. Les longues heures passées à marcher ou assise dans le champ, adossée au muret à regarder évoluer les nuages et le climat m'ont permis de maintenir un certain équilibre. Parce que je savais que tout ça serait encore là quand moi je n'y serais plus, je me disais que je pouvais partir. Le monde était merveilleux. J'en étais une infime particule.

Il y avait un renard mort sur le chemin que j'ai emprunté. Son corps puissant ne portait pas une seule marque. Je l'ai porté dans les buissons. À moi aussi, cela me suffirait.

Je me disais que j'avais fait du bon travail. Je n'avais pas gâché ma vie. Je pouvais partir.

J'ai écrit des lettres à mes amis et aux enfants. Je me rappelle avoir pensé que je n'aurais pas à remplir le formulaire de déclaration de la TVA en fin d'année. J'ai pensé : « Je me demande si l'on risque une amende dans le cas où les causes du décès ne sont pas naturelles. Est-ce que les services fiscaux de Sa Majesté avanceront que j'ai choisi de ne pas remplir le formulaire parce que j'ai choisi de me tuer ? Il doit forcément y avoir une pénalité pour ça. »

Cela m'a calmée un moment et j'avais l'impression d'avoir réussi à repousser le jour du Jugement en le regardant en face.

Jusque dans les années 50, la moitié des suicides en Angleterre se faisaient par asphyxie au gaz. Le gaz domestique provenait alors du charbon et sa teneur en monoxyde de carbone était très élevée. Le monoxyde de carbone étant incolore et inodore, il est l'ennemi des créatures dépendantes de l'oxygène. Il provoque hallucinations et dépression. Il fait croire à des apparitions – en effet, il a été avancé qu'une maison hantée est une demeure où les vapeurs ne sont pas spectrales mais chimiques. C'est peut-être bien vrai. Le dix-neuvième siècle a été celui des spectres terrifiants et de la manifestation des ombres. C'était le siècle du supernaturel dans la fiction et dans l'imaginaire populaire.

Dracula, La Dame en blanc, Le Tour d'écrou, Dr Jekyll et Mr Hyde, les visions de M. R. James et d'Edgar Allan Poe. L'engouement pour les séances de spiritisme.

Le siècle des lampes à gaz et des fantômes. Ils pouvaient bien être une seule et même chose. Cet homme ou cette femme, dont nous avons tous une image en tête, éveillés tard dans la nuit, assis près d'une lampe à gaz et apercevant un fantôme, était peut-être des cas de délire léger causé par un empoisonnement au monoxyde de carbone. Quand le gaz naturel a été introduit dans les années 60, la proportion de suicides par asphyxie en Grande-Bretagne a diminué d'un tiers – ce qui explique peut-être pourquoi les fantômes nous apparaissaient beaucoup moins souvent, ou peut-être n'hallucinons-nous plus à la maison.

Il n'est plus aussi simple de s'asphyxier. Le four ne convient pas et les voitures d'aujourd'hui ont des pots catalytiques.

Je possédais une vieille Porsche 911.

Herman Hesse a dit que le suicide est un état d'esprit – et un grand nombre de gens, théoriquement vivants, ont commis un suicide bien pire que celui qui entraîne la mort physique. Ils ont quitté la vie.

Je ne voulais pas quitter la vie. Je l'aimais. Je l'aime. La vie m'est trop précieuse pour ne pas en profiter pleinement. Je me suis dit : « Si je n'arrive pas à vivre alors je dois mourir. »

J'avais fait mon temps. C'était ce que j'éprouvais de plus fort. Celle qui était partie de chez elle à seize ans et avait renversé tous les obstacles sur son parcours, s'était montrée intrépide, n'avait jamais regardé en arrière, était devenue un écrivain célèbre bien que controversée (elle est brillante, elle est nulle), avait gagné de l'argent, fait son chemin, avait été une bonne amie, une compagne difficile et instable, avait traversé une ou deux petites dépressions et un épisode psychotique, mais s'en était toujours sortie pour continuer d'avancer ; c'en était fini de cette Jeanette Winterson-là.

En février 2008, j'ai tenté de mettre fin à mes jours. Mon chat était dans le garage avec moi. Je ne m'en étais pas aperçue en fermant la porte et j'ai mis en route le moteur de la voiture. Mon chat m'a griffé le visage, griffé le visage et griffé le visage.

Plus tard dans la nuit, allongée sur le gravier à regarder les étoiles – les étoiles miraculeuses et la forêt qui s'enfonce dans la nuit – j'ai entendu une voix. Je savais que c'était une hallucination mais c'était celle dont j'avais besoin.

« Il faut que vous naissiez de nouveau. Il faut que vous naissiez de nouveau » (Jean, III, 7).

N'étais-je pas déjà née deux fois – ma mère perdue et ma nouvelle mère, Mrs Winterson – et cette double identité était en elle-même une sorte de schizophrénie – ce sentiment d'être une fille qui est un garçon qui est un garçon qui est une fille. Une dualité enfouie au cœur des choses.

C'est alors que j'ai compris quelque chose. J'ai compris qu'être née deux fois ne voulait pas simplement dire être en vie, mais choisir la vie. Choisir d'être en vie, s'engager en toute conscience à vivre, malgré le chaos exubérant – et la souffrance.

On m'avait donné la vie et j'avais fait de mon mieux avec ce qu'on m'avait donné. Mais je ne pouvais rien faire de plus. Ce qui avait surgi à travers cette coïncidence/synchronicité, la découverte des papiers d'adoption, le départ de Deborah, était ma seule et unique chance d'avoir une seconde chance.

C'était une corde tendue à travers l'espace. Cette opportunité pouvait aussi bien me tuer que me sauver et dans un sens comme dans l'autre, c'était cinquante-cinquante. C'était la perte de tout ce que j'avais par le retour furieux et invisible de la perte égarée. La porte qui donnait sur la pièce obscure était grande ouverte. La porte de nos cauchemars, au bas des escaliers. La porte de Barbe-Bleue dont la clé est couverte de sang. La porte s'était ouverte. J'étais entrée. La pièce n'avait pas de sol. J'étais tombée, tombée, tombée.

Mais j'étais vivante.

Cette nuit-là, les étoiles froides ont formé une constellation avec les fragments de mon esprit ravagé.

Il n'y avait pas de connexion directe. Vous vous en rendez compte en lisant ces lignes. Mon but est de montrer comment l'esprit arrive à fonctionner malgré ses défaillances.

En mars 2008, j'étais au lit, je me remettais et je lisais l'ouvrage de Mark Doty – *Les Années-chien*.

Il raconte sa vie passée avec des chiens – en fait, il raconte surtout comment vivre avec la vie. Vivre avec la vie est très difficile. Le plus souvent, nous nous efforçons d'étouffer la vie – nous sommes sages ou capricieux. Apaisés ou enragés. Les extrêmes ont le même effet ; ils nous isolent de l'intensité de la vie.

De plus, les extrêmes – tristesse ou furie – effacent avec succès toute émotion. J'ai constaté que ce que nous éprouvons peut être si insupportable que nous inventons toutes sortes de stratagèmes ingénieux – des stratagèmes inconscients – pour tenir ces émotions à distance. C'est de l'échangisme émotionnel, au lieu de se sentir triste ou seul ou effrayé, on éprouve de la colère. Cela fonctionne aussi dans l'autre sens – la colère est parfois bénéfique et appropriée ; parfois, on a besoin de se sentir aimé et accepté plutôt que de contempler le spectacle tragique de sa vie.

Vivre ses émotions exige du courage – les vivre plutôt que de les échanger sur le marché de l'émotion ou même de les reporter d'un coup sur une autre personne. Vous savez que dans les couples il y en a toujours un qui pleure et crie tandis que l'autre est calme et raisonnable ?

J'ai compris que les émotions me posaient problème alors même que je croulais sous elles.

J'entends souvent des voix. Je sais bien qu'avec cette déclaration, on aura tôt fait de me ranger dans la catégorie des folles mais je m'en moque un peu. Si vous croyez comme moi que l'esprit cherche toujours à se guérir et que la psyché préfère la cohérence à la désintégration, alors on peut facilement en conclure que l'esprit fera tout le nécessaire pour mener à bien sa mission.

De nos jours, on imagine que les gens qui entendent des voix commettent des actes terribles ; les meurtriers et les psychopathes entendent des voix, tout comme les fanatiques religieux et les auteurs d'attentats-suicides. Autrefois, en revanche, ces voix étaient respectables – convoitées. Le visionnaire et le prophète, le chaman et la sage-femme. Et le poète, bien sûr. Entendre des voix peut être une bonne chose.

La folie est le début d'un processus. Elle n'est pas censée en être le résultat final.

Ronnie Laing, le médecin psychothérapeute devenu gourou, très prisé dans les années 60 et 70, a mis la folie à la mode en comprenant qu'envisagée en tant que processus, elle pouvait mener quelque part. Mais elle est si effroyable pour la personne qui en est victime comme pour l'entourage que les seules issues sont chimiques ou hospitalières.

Sans parler de notre baromètre de la folie, qui évolue sans cesse. Il se pourrait d'ailleurs que nous n'ayons jamais été aussi peu tolérants envers la folie. Elle n'a pas sa place dans nos sociétés. Nous n'avons absolument pas de temps à lui consacrer.

Devenir fou prend du temps. Recouvrer une santé mentale prend du temps.

J'abritais en moi une autre personne – une part de moi – ou ce que vous voudrez – à ce point dévastée qu'elle était prête à me condamner à mort pour trouver la paix.

Cette part de moi qui vivait seule, cachée dans une tanière sale et abandonnée, avait toujours eu le pouvoir d'organiser des attaques sur le reste du territoire. Mes accès de rage, mon comportement destructeur, mon besoin de mettre à mal l'amour et la confiance, comme on avait mis à mal mon amour et ma confiance. Mon inconscience sexuelle – et non ma libération. La vision dévalorisante que j'avais de moi. J'étais toujours prête à sauter du toit de ma vie. N'est-ce pas romantique ? N'est-ce pas la marque du déchaînement d'un esprit créatif ?

Non.

La créativité se tient du côté de la santé – ce n'est pas elle qui vous rend fou ; elle est cette force interne qui tente de nous sauver de la folie.

L'enfant perdue, furieuse, irascible qui vivait seule au fond du marécage n'était pas la Jeanette créative – mais la victime d'une guerre. Elle était le sacrifice. Elle me détestait. Elle détestait la vie.

Il existe tant de contes de fées – vous les connaissez – où le héros, pris au piège d'une situation désespérée, conclut un marché avec une sinistre créature et obtient ce dont il a besoin – et qui n'est pas superflu – pour pouvoir continuer son périple. Plus tard, une fois la princesse conquise, le dragon vaincu, le trésor encaissé et le château décoré, la sinistre créature s'en vient dérober le nouveau-né ou le transformer en chat, ou – telle la treizième fée que personne n'avait invitée à la fête – offrir un cadeau empoisonné qui tue le bonheur.

Il faut faire entrer chez soi cette créature meurtrière et difforme – mais avec la bonne formule.

Vous vous souvenez de la princesse qui embrasse la grenouille – et youpi, la grenouille se transforme en prince ? Eh bien voilà, il faut embrasser la chose répugnante et baveuse généralement repêchée au fond d'un puits ou d'un étang alors qu'elle gobait des limaces. Cependant, rendre son humanité à la part laide et malade n'est pas un exercice destiné à l'assistante sociale bienveillante qui est en nous.

Il n'y a pas entreprise plus dangereuse que celle-ci. Comme un déminage si ce n'est que vous êtes la bombe. Tout le problème est là – l'abomination, c'est vous. Elle peut bien être coupée de vous et vivre, malveillante, au fond du jardin, mais votre sang coule dans ses veines et elle mange votre nourriture. Agacez la créature et elle vous entraînera dans sa chute.

De plus – je le précise, histoire de vous mettre en garde – la créature adore les suicides. La mort fait partie de la mission.

Je parle en ces termes parce que dans ma folie, il m'est apparu clairement que je devais commencer à parler – à la créature.

Je lisais donc *Les Années-chien* au lit, et une voix extérieure – et non dans ma tête – a dit : « Lève-toi et mets-toi au travail. »

Je me suis habillée sur-le-champ. Je suis allée dans mon studio. J'ai allumé le poêle à bois, me suis assise enveloppée dans mon manteau car la pièce était glaciale et j'ai écrit – *Cela a commencé comme toutes les choses importantes – par hasard.*

Durant les jours qui ont suivi, j'ai écrit un livre pour enfants intitulé *The Battle of the Sun.*

Chaque jour, je me mettais au travail sans idée de plan ni intrigue, mais simplement pour voir ce que j'avais à dire.

C'est pourquoi je suis sûre que la créativité est du côté de la santé. J'allais me remettre, et j'ai commencé à me remettre grâce au hasard du livre.

Il n'est pas surprenant qu'il s'agisse d'un livre pour enfants. La créature démente au fond de moi était une enfant perdue. Elle voulait qu'on lui raconte une histoire. L'adulte en moi a dû la lui raconter.

L'une des premières choses à s'être inventées dans ce nouveau livre était la Créature Coupée en Deux.

La Créature qui entra dans la pièce était proprement coupée en deux par le milieu si bien que chaque moitié possédait un œil et un sourcil, une narine, une oreille, un bras, une jambe et un pied.

Elles étaient donc semblables, ou presque. À croire que la

Créature n'était pas assez étrange comme ça puisqu'une moitié était masculine tandis que l'autre était féminine. La moitié féminine avait une poitrine, ou plutôt, une demi-poitrine.

La Créature semblait faite de chair et d'os, tel un être humain, mais les humains naissent-ils coupés en deux ?

Les vêtements de la Créature étaient aussi bizarres que la Créature elle-même. La moitié masculine portait une chemise avec une manche, un pantalon à une jambe et là où aurait dû se trouver l'autre manche et l'autre jambe, il y avait une couture. Par-dessus sa chemise, la Créature avait endossé un gilet en cuir sans manches qui lui, n'avait pas été retaillé, ce qui donnait l'impression qu'il manquait une moitié de corps pour remplir le gilet, ce qui était le cas.

Sous son pantalon unijambiste, la Créature avait enfilé une chaussette haute tenue au genou ainsi qu'une grosse chaussure en cuir.

La Créature ne portait pas la barbe, mais arborait une boucle d'oreille à son unique lobe.

Sa moitié était tout aussi singulière. La dame portait une demi-jupe, un demi-chemisier et un demi-chapeau sur sa demi-tête.

Au niveau de la taille, du moins là où aurait dû se trouver la taille, pendait un imposant trousseau de clés. Elle ne portait pas de boucle d'oreille, mais sa main, plus fine que celle de l'autre moitié, avait une bague à chaque doigt.

Leurs deux moitiés de visage affichaient une expression désagréable.

Ma créature à moi, désagréable et vicieuse, a aimé que j'écrive *The Battle of the Sun*. Elle et moi avons commencé à parler. Elle a dit : « Pas étonnant que Deb t'ait quittée – pourquoi voudrait-elle de toi ? Même ta mère t'a abandonnée. Tu ne vaux pas un clou. Je suis peut-être la seule à le savoir mais tu ne vaux quand même pas un clou. » J'ai écrit ces mots dans mon carnet. Je me suis dit que je ne serais pas capable de parler à cette folle furieuse plus d'une heure par jour – et seulement pendant une promenade. Elle n'aimait pas marcher mais elle a bien été obligée de me suivre.

Sa conversation se limitait à la récrimination (reproche, blâme, accusation, revendication, culpabilisation). Elle était moitié Mrs Winterson moitié Caliban. Ses réactions étaient le produit d'une logique déformée. Si je disais : « Je voudrais discuter de la réserve à charbon », elle disait : « Tu serais prête à coucher avec n'importe qui, n'est-ce pas ? » Si je disais : « Pourquoi étais-tu si mauvaise élève à l'école ? », elle disait : « Je mets ça sur le compte des culottes en nylon. »

Nous étions comme deux personnes utilisant des guides de conversation pour dire des choses que nous ne comprenions pas ; vous pensez demander le chemin de l'église mais cela devient : « J'ai besoin d'une épingle à nourrice pour mon hamster. »

C'était de la folie – je vous l'avais bien dit – toutefois, j'étais résolue à me tenir à ce projet. J'ai tenu grâce à l'équilibre mental dans lequel me maintenait l'écriture le matin et la nécessité de jardiner régulièrement au printemps et les soirs d'été. Planter des choux et des haricots est bénéfique. Le travail créatif est bénéfique.

Les séances de folie de l'après-midi endiguaient la démence qui s'était infiltrée partout. J'ai remarqué que je n'avais plus l'impression d'être hantée ou frappée par-derrière. Je n'étais plus victime de peurs indicibles ni d'accès de terreurs qui me provoquaient des suées.

Pourquoi la créature et moi n'allions pas en psychothérapie ? J'ai fait une tentative, mais elle a échoué. Les séances me semblaient fausses. Je n'arrivais pas à dire la vérité et de toute façon, « elle » ne voulait pas venir avec moi.

« Monte dans la voiture... » NON. « Monte dans la voiture... » NON.

Elle était pire qu'un bébé. Elle était un petit enfant, mais en fait, elle avait différents âges parce que le temps n'opère pas en nous comme il le fait à l'extérieur. Elle était un bébé. Ou elle avait sept ans, parfois onze, parfois quinze.

La seule certitude était qu'elle refusait de suivre une thérapie. « C'est chiant, c'est chiant, c'est chiant. »

J'ai claqué la portière : « Est-ce que tu veux apprendre à manger avec un couteau et une fourchette ? »

Je ne sais pas pourquoi j'ai dit ça. Elle était sauvage.

Je suis donc allée en thérapie, sans elle. Une perte de temps.

À vrai dire, cela n'a pas été totalement inutile car, après chaque séance à Oxford, j'en avais tellement marre que j'allais à la librairie Blackwell, dans la salle Norrington en bas, où je passais les étagères de psychanalyse au peigne fin. La salle Norrington est un endroit sérieux – elle est destinée aux universitaires et possède un fonds très complet de textes sur le cerveau/l'esprit/la psyché/le moi.

Je lisais Jung depuis 1995 – j'ai acheté tous ses écrits en grand format. J'avais déjà le coffret des œuvres complètes de

Freud, et j'avais toujours lu des choses sur la spiritualité parce que quoi qu'en disent les gens, il est difficile de tourner le dos aux enseignements de la Bible quand on a grandi avec.

Cette fois, j'étais à la recherche de quelque chose et j'ai découvert Neville Symington, un prêtre devenu psychothérapeute usant d'un style direct et abordable, qui n'avait pas peur de parler de l'esprit et de l'âme – non pas comme expériences religieuses mais comme expériences humaines – pour expliquer que nous ne sommes pas qu'un corps et un esprit – une idée que je partage.

Symington m'a aidée parce que mon état s'améliorant peu à peu, je voulais un cadre dans lequel réfléchir à tout ce qui m'arrivait. Avant, je me raccrochais au bateau ouvert qu'était ma vie en espérant que la prochaine vague ne m'engloutirait pas.

Parfois, la créature apparaissait pendant que je lisais et se moquait de moi, lançait des remarques blessantes, mais à présent, je parvenais à lui demander d'attendre notre rencontre du lendemain, et par miracle, elle acceptait.

C'était l'été. J'avais presque terminé *The Battle of the Sun*. J'étais seule et esseulée, mais j'étais calme et plus saine d'esprit que je ne l'avais été depuis longtemps à tel point que j'avais conscience qu'une partie de moi avait sombré dans la folie.

Symington explique de quelle façon la part folle de notre être s'efforcera de ravager l'esprit. C'était ce que j'avais vécu. À présent je pouvais la contenir.

Quelques mois plus tard, nous faisions notre promenade de l'après-midi quand j'ai évoqué le fait que personne ne

nous avait jamais câlinées quand nous étions petites. J'ai dit
« nous », pas « toi ». Elle m'a pris la main. C'était la première fois ; avant, elle marchait toujours en retrait et cra-
chait ses méchancetés.

Nous nous sommes assises et nous avons pleuré.

J'ai dit : « Nous allons apprendre à aimer. »

13

Ce rendez-vous se déroule dans le passé

Chère madame,

Suite à votre demande concernant le dossier référencé ci-dessus.

Après consultation de la requête, le juge siégeant à la County Court a statué sur les points suivants :

1. La copie du certificat de naissance ne correspond pas à la copie d'inscription au Registre des enfants adoptés.

2. Le segment 8B du Code de procédure civile section 1.3 exige que le formulaire de preuve d'identité soit « présenté devant le tribunal », le tribunal rédigeant une note sur le formulaire de demande. Doit être fourni le formulaire original (copie non recevable).

3. Après quoi, un exemplaire amendé des documents requis selon les règles du Code de procédure civile peut être expédié. Le dossier n'est pas disponible à la consultation dans son intégralité et ne peut pas être transmis au ministère de l'Intérieur.

Malheureusement, il vous faudra donc vous présenter en personne au tribunal afin de fournir l'original de la preuve d'identité en même temps qu'une copie certifiée de l'inscription au Registre des enfants adoptés se rapportant à vous.

Ceci est l'un des nombreux courriers échangés avec le tribunal en possession de mon dossier d'adoption.

Je suis une femme intelligente qui a de la ressource mais le processus d'adoption jouait dangereusement avec mes nerfs. Je ne savais pas ce qu'ils entendaient par « l'inscription au Registre des enfants adoptés » – et il m'a fallu quatre courriels pour le découvrir. Je connais la signification d'« amendé », mais est-ce le cas de tout le monde (pourquoi ne pas dire « version révisée » ?) et je me suis interrogée sur les conséquences que pouvait avoir ce genre de missive froide et formelle sur des gens déjà bouleversés, en pleine recherche de leur autre vie.

Du point de vue du tribunal, les dossiers d'adoption ne sont rien de plus que des archives accompagnées d'implications légales que l'on gère dans la langue morte et absconse du droit, selon un protocole difficile à appréhender. Cela ne justifie pas d'engager un avocat ; cela devrait justifier la simplification du processus afin de le rendre plus humain.

Je voulais tout arrêter. Je n'étais pas sûre d'avoir voulu me lancer dans cette entreprise.

J'avais toutefois la chance d'être tombée amoureuse de Susie Orbach. Nous n'étions pas ensemble depuis longtemps, mais elle voulait me faire comprendre que j'étais en sécurité avec elle, qu'elle me soutenait et qu'elle était là pour moi, tout simplement. « Nous sommes ensemble, répétait-elle. Ce qui veut dire que tu as des droits. » Et elle éclatait de son grand rire audacieux.

J'ai rencontré Susie peu après avoir raté l'entretien que je devais lui consacrer au sujet de son livre *Bodies* – qui traite de l'impact de la publicité et de la pornographie sur le corps des femmes et de l'image que les femmes ont d'elles-mêmes. Mon père venait de mourir et je devais reporter à plus tard mes engagements professionnels. J'ai fini par écrire à Susie pour lui dire combien j'avais apprécié son livre – tous ses livres. À dix-neuf ans, j'avais lu *Fat is a Feminist Issue*. J'avais relu son *Impossibilité du sexe*, et avais imaginé écrire une réponse – au sens le plus large – intitulée *La Possibilité de l'amour*.

Je me pose sans arrêt des questions sur l'amour.

Susie m'a invitée à dîner. Elle était séparée de son mari depuis près de deux ans après trente-quatre ans de vie commune. Je n'avais personne depuis Deborah et la dépression. Je recommençais à aimer vivre seule. Mais on ne planifie jamais les événements décisifs de son existence. Nous avons passé une excellente soirée ; le repas, la conversation, le coucher de soleil derrière le hêtre de son jardin. « Elle a l'air triste », ai-je pensé. Je me demande si moi aussi j'avais l'air triste.

Durant les quelques semaines qui ont suivi, nous nous sommes séduites en caractères pixelisés – une cour par voie virtuelle, mais en pure perte, croyais-je, parce que Susie était hétérosexuelle et que j'avais renoncé à faire œuvre de missionnaire avec les femmes hétérosexuelles. Il se passait quelque chose, mais je n'avais aucune idée de ce qu'il fallait faire à ce sujet.

J'ai déjeuné avec une amie, l'écrivain Ali Smith. Elle m'a dit : « Embrasse-la. »

Susie s'est rendue à New York pour en parler à sa fille. À quoi Lianna a répondu : « Mais embrasse-la, maman. » C'est donc ce que nous avons fait.

Grâce à la confiance qui s'est instaurée entre nous, j'ai senti que je pouvais continuer mes recherches. L'adoption commence dans la solitude − vous êtes laissé à vous-même. Le bébé sait qu'il a été abandonné − j'en suis persuadée. De là, le voyage de retour ne devrait pas être effectué seul. Les terreurs et les frayeurs prennent par surprise et rien ne peut les étouffer. Vous avez besoin de quelqu'un à qui vous raccrocher. Quelqu'un qui se raccrochera à vous. Susie l'a fait pour moi jour après jour. Certains de mes amis ont fait leur part. Pour le reste, la folie et la recherche de mes parents biologiques m'ont appris à demander de l'aide ; à cesser de vouloir me comporter en Wonder Woman.

J'avais évoqué mes craintes à mon amie Ruth Rendell. Ruth m'a connue quand j'avais vingt-six ans, elle m'a prêté un petit pavillon où travailler à mes débuts. J'ai écrit *La Passion de Napoléon* chez elle. Elle a été ma fée marraine − ne m'a jamais jugée, m'a offert son soutien, m'a laissée m'exprimer, être moi-même.

Ruth est pair à la Chambre des lords sous la bannière travailliste. Elle connaît beaucoup de gens et s'est dit qu'elle pouvait m'aider. Elle a réuni quelques baronnes pour une discussion en privé et de l'avis général, il me fallait agir avec la plus grande précaution.

Mon nom est très connu en Grande-Bretagne et certes, je voulais retrouver ma mère, mais je voulais qu'elle me rencontre moi, pas mon image publique. Par ailleurs, il n'était pas question que les journaux s'emparent de cette histoire. *Les Oranges* sont un récit d'adoption, c'est le livre auquel on m'identifie.

Je suis peut-être paranoïaque mais j'ai des raisons de l'être. Il est arrivé que des journalistes se postent dans mon jardin pour « découvrir » l'identité de mes compagnes et ma crainte était qu'ils soient d'autant plus ravis de « découvrir », en plus, une mère perdue.

Bref, j'hésitais à remplir un formulaire, le poster et aller raconter ma vie à une assistante sociale – un passage obligé au Royaume-Uni si vous souhaitez consulter un dossier d'adoption sous X.

Ma recherche était compliquée par le fait qu'avant 1976, toutes les adoptions du pays se faisaient sous X. L'anonymat à vie était garanti aux mères et aux enfants. Puis la loi a changé, autorisant les gens comme moi à demander leur certificat de naissance original afin d'entrer éventuellement en contact avec leurs parents biologiques. Mais ce processus doit s'accomplir en toute transparence et suivre une certaine procédure. Je trouvais la situation très délicate.

Ruth m'a mise en contact avec Anthony Douglas, le directeur de la Cafcass – le service qui s'occupe de protéger et promouvoir le bien-être des enfants lors de procédures devant le tribunal des affaires familiales. Lui-même a été adopté, et après une rencontre où je lui ai exposé mon problème, il a proposé de m'aider à retrouver ma mère en évitant que l'affaire soit connue du public avant que je sois prête.

J'ai donné à Anthony les noms que je portais en moi depuis quarante-deux ans – le prénom de mes parents – Jessica et John – ainsi que leur nom de famille, que je ne peux pas révéler ici.

Quelques semaines plus tard, il m'a appelée pour m'annoncer que le dossier avait été retrouvé – de justesse car le bureau de l'état civil de Southport, installé dans un sous-sol, avait été inondé d'eau de mer et beaucoup de dossiers avaient été détruits. J'ai levé les yeux au ciel. De toute évidence, Mrs Winterson avait eu vent de mes recherches et avait provoqué une inondation.

Une semaine plus tard, Anthony a rappelé – mon dossier avait été ouvert mais les noms que je lui avais donnés ne correspondaient pas à ceux du dossier.

À qui était donc le certificat de naissance que j'avais trouvé dans le tiroir ?

Qui suis-je ?

L'étape suivante était de prendre le risque qui me terrifiait tant de faire une demande au ministère de l'Intérieur comme le ferait n'importe qui, ce qui voulait dire avoir un rendez-vous avec une assistante sociale du bureau de l'état civil de Southport, dans le Lancashire.

Susie a pris un jour de congé pour m'accompagner et nous avons décidé que je la retrouverais à Londres le jour même parce qu'il valait mieux que je dorme chez moi dans mon lit la veille d'une journée aussi importante.

Ce matin-là, mon train a été annulé et le suivant a roulé avec une lenteur croissante suite à un problème de motrice. Plus le train ralentissait plus mon cœur battait vite. Pour couronner le tout, j'étais assise à côté d'une vague connaissance qui devenait de plus en plus bavarde au fur et à mesure que nous ralentissions.

J'ai calculé qu'au moment où j'arriverais à Paddington, il me resterait précisément quatorze minutes pour rejoindre King's Cross. Impossible. C'était Londres. Il fallait au moins vingt minutes en taxi. Mon seul espoir était le service de taxi à moto proposé par la compagnie Virgin que j'utilise de temps en temps.

Alors que je sortais en courant de Paddington, le moteur de la grosse moto tournait déjà. J'ai sauté derrière le pilote, nous avons foncé au milieu des embouteillages londoniens, et j'ai beau ne pas être froussarde, j'ai dû fermer les yeux.

Huit minutes plus tard, j'étais sur le quai avec trois minutes d'avance, Susie était là – du haut de son mètre cinquante-sept – avec ses bottes de cow-boy en daim et ses perles, sa jupe courte, ses cheveux ébouriffés et son manteau doré Calvin Klein, si belle et généreuse tandis qu'elle s'engouffrait dans le train, jouant du flirt et de la menace avec le contrôleur médusé, bien décidée à retarder le départ tant que je ne serais pas là.

J'ai bondi dans le wagon. Le sifflet a retenti.

Nous étions en route pour le bureau de l'état civil, munies de mon passeport et des deux papiers raturés – l'ordonnance du tribunal et le certificat médical. Je pesais 2 kilos 980 grammes.

Susie et moi sommes assises dans un bureau fonctionnel comme il y en a partout dans le monde ; table en panneau de fibres verni, pieds métalliques et table basse entourés de fauteuils laids recouverts de tissu alternant le vert martien et l'orange psychotique. Le sol est tapissé de carrés de moquette. Un meuble de rangement, un tableau d'affichage. Un gros radiateur. Une fenêtre sans stores.

Susie est l'une des plus grandes psychanalystes de notre époque. Elle me sourit au début de la réunion, ne dit rien, me soutient en silence. Je le sens très concrètement.

L'assistante sociale avec qui j'ai rendez-vous est une femme chaleureuse et spontanée nommée Ria Hayward.

Elle parle un moment de la protection des informations, des différentes lois qui régissent l'adoption au Royaume-Uni et des voies habituelles à suivre. Si je souhaite aller plus loin, il va falloir me plier à certaines formalités. Il y en a toujours.

Elle examine mes papiers – l'ordonnance du tribunal ainsi que le certificat médical – et remarque que ma mère m'a allaitée.

« C'était la seule chose qu'elle pouvait vous donner. Elle vous a donné ce qu'elle pouvait. Elle n'était pas obligée de le faire et il aurait été beaucoup plus simple de ne pas le faire. L'allaitement crée un lien tellement fort. Quand elle s'est séparée de vous, au bout de six semaines, vous faisiez encore partie de son corps. »

Je ne veux pas pleurer. Je pleure.

Puis Ria me glisse le papier qu'elle a en sa possession et qui porte un autocollant.

« Voici le nom de votre mère biologique et le nom qu'elle

vous a donné. Je ne les regarde jamais parce qu'il me semble que la personne adoptée devrait être la première à les découvrir. »

Je me lève. Je n'arrive pas à respirer.

« Nous y sommes, donc ? »

Susie et Ria me sourient, puis j'emporte le papier vers la fenêtre. Je lis les noms. Les larmes viennent.

Je ne sais pas pourquoi. Pourquoi pleurons-nous ? Les noms se déchiffrent comme des runes.

Un code secret est écrit sur le corps, visible seulement sous certains éclairages.

Ria : « Avec les années, j'ai conseillé tant de mères qui font le choix de l'adoption et croyez-moi, Jeanette, il s'agit toujours d'un choix par défaut. Vous étiez voulue – vous comprenez ? »

Non. Je ne me suis jamais sentie voulue. Je suis le mauvais berceau.

« Vous comprenez, Jeanette ? »

Non. Toute ma vie, j'ai rejoué les motifs du rejet. Le succès que j'ai connu avec mes livres me donnait l'impression d'être entrée sans avoir payé. Si les critiques et la presse s'en prenaient à moi, je répondais par des cris de rage et non, je ne croyais pas ce qu'ils disaient de moi ou de mon travail, parce que mes écrits me sont toujours apparus clairs et lumineux, non contaminés, mais je savais qu'on ne voulait pas de moi.

De même, j'ai aimé avec toute l'extravagance possible, au point où mon amour ne pouvait être rendu de façon saine et constante – les triangles des mariages et les affiliations complexes. J'ai échoué à aimer comme il fallait quand j'étais en position de le faire, et j'ai fait durer des relations plus que de raison, refusant d'être celle qui baisserait les bras parce qu'elle ne sait pas aimer.

Pourtant, je ne savais pas aimer. Si j'avais admis ce simple fait et qu'une personne avec un parcours comme le mien (mes histoires, tant réelles qu'inventées) avait toutes les chances d'avoir des problèmes avec l'amour, alors que se serait-il passé ?

Écoutez, nous sommes des êtres humains. Écoutez, nous sommes portés vers l'amour. L'amour est là, mais il nous faut apprendre à aimer. Nous voulons nous mettre debout, nous voulons marcher, mais il faut que quelqu'un nous tienne la main, nous aide à garder l'équilibre, nous guide un peu et nous relève quand nous tombons.

Écoutez, nous tombons. L'amour est là, mais il nous faut l'apprendre – ses formes, ses possibilités. J'ai appris à tenir debout seule, mais je n'ai pas pu apprendre à aimer.

Nous sommes doués de langage. Nous sommes doués d'amour. Nous avons besoin des autres pour développer ces dons.

Dans mon travail, j'ai trouvé un moyen de parler d'amour – et c'était sincère. Je n'avais pas trouvé de moyen d'aimer. Mais les choses changeaient.

Je suis assise dans cette pièce avec Susie. Elle m'aime. Je veux l'accepter. Je veux aimer comme il faut. Je repense à ces deux dernières années et à mes efforts pour dissoudre les calcifications qui se sont formées autour de mon cœur.

Ria sourit et sa voix me parvient de très loin. Tout ceci

semble trop présent parce que c'est inconfortable, et trop lointain parce que je n'arrive pas à me concentrer. Ria sourit.

« *Vous étiez voulue, Jeanette.* »

Dans le train du retour, Susie et moi ouvrons une demi-bouteille de bourbon Jim Beam. « C'est pour la régulation des affects », explique-t-elle ; puis, comme toujours avec Susie : « Comment te sens-tu ? »

Dans l'économie du corps, l'autoroute limbique prend le pas sur les sentiers neuronaux. Nous sommes pensés et bâtis pour ressentir et il n'y a pas de pensée, pas d'état d'esprit qui ne soit aussi un état émotionnel.

On ne ressent jamais trop, même si nous sommes nombreux à nous efforcer de ressentir le moins possible.

Les émotions sont effrayantes.

Du moins pour moi.

Le compartiment du train était silencieux, il y flottait cette atmosphère de fatigue exsudée par ceux qui rentrent chez eux après une journée de travail. Susie lisait, en face de moi, les pieds enroulés autour des miens sous la table. Un poème de Thomas Hardy me trotte dans la tête.

N'avoir pas même dit adieu,
Ni murmuré l'appel le plus doux
Ni exprimé le souhait d'entendre une parole, alors que moi
Je voyais le matin durcir sur la paroi,
Impassible, ignorant
Que ton grand départ
Avait lieu en cet instant, altérant tout.

C'était un poème que j'avais appris quand Deborah m'avait quittée, mais j'avais déjà vécu ce « grand départ » à l'âge de six semaines.

Le poème trouve le mot qui trouve l'émotion.

Ria m'avait donné le nom du tribunal où se trouvait peut-être encore mon dossier d'adoption. En 1960, on bougeait peu et alors que je croyais qu'il me fallait chercher du côté de Manchester, il est apparu que mon dossier était à Accrington. J'étais passé devant le tribunal tous les jours de ma vie jusqu'à ce que je quitte la maison.

J'ai rédigé une lettre succincte pour demander s'ils avaient gardé le dossier.

Une réponse est arrivée deux semaines plus tard ; oui, ils avaient trouvé le dossier et ma demande de consultation allait être présentée au juge.

Cela ne me plaisait pas ; Ria m'avait expliqué que j'avais le droit de voir mon dossier même si personne ne savait ce qu'il pouvait ou non contenir. Certains renferment beaucoup d'éléments, d'autres très peu. Mais je pourrais trouver le nom de l'agence d'adoption qui m'avait placée chez les Winterson – ce nom qui avait été si violemment rayé en haut du certificat médical jauni et passé.

Je voulais voir ces papiers. Qui était ce juge, cette autorité masculine inconnue ? J'étais en colère, mais me connaissais assez pour m'apercevoir qu'il s'agissait d'une colère radioactive très ancienne.

Susie, partie à New York, était retenue par le nuage de cendres qui clouait tous les avions au sol en Europe et de l'autre côté de l'Atlantique.

J'étais seule quand une nouvelle lettre est arrivée du tribunal. Le juge avait tranché. « La requérante doit remplir le formulaire de rigueur avant de soumettre à nouveau sa demande. »

La missive me conseillait de m'adresser à un avocat.

Je me suis assise sur les marches à l'arrière de la maison pour lire et relire la lettre telle une analphabète. Mon corps tressaillait comme s'il était pris dans une clôture électrifiée.

Je suis allée à la cuisine et me suis saisi d'une assiette que j'ai jetée contre le mur... « Requérante... formulaire de rigueur... soumettre... » Ce n'est pas une carte de crédit que je demande, connard.

J'ai encore honte en repensant à ce qui est arrivé ensuite mais je vais m'obliger à l'écrire : je me suis fait pipi dessus.

Je ne sais pas pourquoi ni comment. Je sais que j'ai perdu le contrôle de ma vessie, que je me suis rassise sur les marches, souillée, trempée, que je ne pouvais pas me lever pour aller me laver et que j'ai fondu en larmes comme dans ces moments où il ne nous reste que nos yeux pour pleurer.

Je n'avais rien à quoi me raccrocher. Je n'étais pas Jeanette Winterson, dans sa maison avec ses livres sur les étagères et de l'argent à la banque ; j'étais un nourrisson, j'avais froid, j'étais mouillée et un juge m'avait pris ma maman.

Un peu plus tard, je me sèche et j'enfile des vêtements propres. Je bois un verre. J'appelle Ria. Elle me dit : « Il n'y a pas de formulaire de rigueur. Vous n'avez pas besoin d'avocat. C'est fou. Laissez-moi m'en occuper, Jeanette. Je vais vous aider. »

Cette nuit-là, couchée dans mon lit, j'ai repensé à tout ce qui venait d'arriver.

Ce juge si expérimenté du tribunal de grande instance, ne peut-il pas imaginer ce que cela fait de se tenir au bord de son existence et de contempler le gouffre devant soi ?

Était-ce si difficile de m'envoyer le formulaire « de rigueur », de m'expliquer où je pouvais le télécharger ou de demander à un responsable du tribunal de me déchiffrer le jargon des juristes ?

Je me suis remise à trembler.

« La perte égarée » est imprévisible, elle n'est pas civilisée. J'étais renvoyée à ma vulnérabilité, mon impuissance et mon désespoir. Mon corps réagissait avant ma tête. En temps normal, une missive juridique pompeuse qui cherche à noyer le poisson me ferait rire et je résoudrais le problème sans y réfléchir. Je n'ai pas peur des avocats et je sais que le droit est grandiloquent pour pouvoir mieux intimider, y compris quand il n'a aucune raison de le faire. Il est pensé pour que les gens ordinaires se sentent incompétents. Je ne me sens pas incompétente – mais je ne m'attendais pas non plus à me comporter comme si j'étais de nouveau un bébé de six semaines.

Ria s'est renseignée et a découvert qu'après l'obligeante simplicité du premier rendez-vous avec elle, faire face à la réalité des tribunaux s'avérait trop complexe. Les gens laissaient tomber.

Nous avons décidé que quoi qu'il ressorte de mes recherches, dorénavant nous tenterions de formuler des lignes directives pour les tribunaux et d'établir une feuille de route pour les clients afin de rendre le processus moins pénible.

Une fonctionnaire du bureau de l'état civil qui souhaitait m'aider a écrit directement au tribunal en déclarant que j'avais déjà été identifiée par le ministère de l'Intérieur, qu'elle se chargerait de contrôler les détails de mon affaire et accuserait personnellement réception de mon dossier auprès du tribunal.

Non, a dit le juge. Non conforme à la procédure.

Je me suis demandé ce qu'on exigerait de moi si j'avais vécu à l'étranger ? Aurais-je dû prendre un billet d'avion et venir accomplir toutes ces tâches dans un pays qui m'aurait été inconnu, sans soutien, à moins d'acheter deux billets d'avion ? Qu'en est-il de ces enfants qui ont été envoyés en Australie après la guerre ?

La vie des gens passe après la procédure....

Susie et moi avons pris rendez-vous au tribunal d'Accrington.

Dans la salle d'attente se trouvait une rangée de malheureux jeunes hommes dans des costumes mal ajustés ; ils étaient accusés de conduite en état d'ivresse et espéraient s'en tirer à bon compte. Les jeunes filles amenées là pour un délit de vol à l'étalage ou de nuisance publique, le visage plâtré de maquillage, arboraient un air défiant et apeuré.

Nous avons été appelées dans une pièce où les avocats peuvent discuter avec leurs clients et au bout d'un moment, le greffier est arrivé, apparemment au bout du rouleau et dépité. J'avais de la peine pour lui.

Il avait un vieux dossier dans une main et un gros livre de procédures dans l'autre. Il savait qu'il allait au-devant de problèmes.

En fait, j'étais tellement bouleversée de voir les papiers sur le bureau – les papiers renfermant tous les détails de mes débuts – que je pouvais à peine parler. L'un des aspects fondamentaux de cette expérience de rétroadoption, avec tous ses détails légaux aliénants, est qu'elle me fait buter sur les mots, j'hésite, je ralentis et finalement, je me tais. La perte égarée, vécue comme une douleur physique, précède le langage. Cette perte est survenue avant que je sache parler et je revis ce moment, sans paroles.

Susie s'est montrée charmeuse, déterminée et intraitable. Le pauvre homme ne savait pas trop ce qu'il avait le droit de révéler. Il y avait tant de choses que je voulais découvrir – mais le juge n'avait pas encore autorisé la version « amendée ». J'étais censée signer quelques papiers, m'en aller, et attendre que le tout me soit renvoyé, plus tard.

Mais le dossier était sur la table... pas plus tard... je veux le voir maintenant.

Le greffier a accepté de me donner le nom de l'agence d'adoption. Une information très utile. Il l'a inscrit sur un papier et a photocopié l'original qui porte l'écriture d'un clerc – oh, elle paraît si ancienne. Les formulaires que manipule le greffier sont jaunis et remplis à la main.

La date de naissance de ma mère est-elle indiquée ? Cela m'aiderait à la retrouver. Il secoue la tête. Il ne peut pas me le dire.

Alors très bien, écoutez, ma mère adoptive, Mrs Winterson, m'a toujours raconté que ma mère biologique avait dix-sept ans quand elle m'a eue. Si je connaissais son âge, je pourrais la retrouver par le site de généalogie – mais son nom est plutôt ordinaire et même si j'ai réduit la recherche à deux pistes, je ne sais pas laquelle suivre. Sans compter qu'elles pourraient toutes les deux être fausses. Je suis au point où le chemin bifurque. Le point où l'univers s'ouvre en deux. Aidez-moi.

Il transpire. Il regarde le livre de procédure. Susie me dit de quitter la pièce.

Je sors sur le trottoir en claquant les portes battantes et rejoins le groupe des jeunes où certains affichent un air bravache et soulagé, tandis que d'autres paraissent désespérés, mais tous fument et parlent en même temps.

Je regrette d'être ici. Je regrette d'avoir lancé tout ça. Pourquoi l'ai-je fait ?

Une fois de plus, je suis renvoyée à la boîte fermée à clé qui contenait la porcelaine Royal Albert avec en dessous, les papiers cachés et avant ça encore, au mauvais certificat de naissance ; et puis qui était donc cette femme venue chez mes grands-parents qui avait provoqué les larmes et la colère de Mrs Winterson tant elle l'avait effrayée ?

À mon retour, Susie avait arraché au greffier la promesse qu'il demanderait au juge en audience ce qu'il pouvait et ne pouvait pas me dire de ce qui se trouve dans le dossier. Il nous faut revenir dans quarante-cinq minutes.

Nous partons nous installer à la terrasse d'un café qui sert du thé dans d'énormes mugs et je m'aperçois que cet

endroit qui propose des hamburgers-frites est l'ancien Palatine qu'adorait Mrs W avec ses tranches de pain grillé aux
haricots et sa vitrine embuée donnant sur mon avenir dans
les missions.

« Il fallait que je te sorte de là pour te faire taire », me dit
Susie. Je lève les yeux, surprise. Je croyais avoir été muette.
« Tu ne te souviens pas de ce que tu as dit ? Ce n'était rien
de précis, en fait, mais tu bredouillais. Le pauvre homme ! »

Mais je ne bredouille pas ! J'ai la tête vide – pas un peu,
mais totalement –, de toute évidence, je redeviens folle. Je
devrais mettre un terme à tout ça. Je déteste être à Accrington. Je ne veux pas me souvenir de quoi que ce soit.

Je ne suis pas venue ici depuis l'enterrement de papa.

Durant cette période d'atrophie/accès de folie, je m'étais
rendue dans le Lancashire en voiture une fois par mois pour
rendre visite à papa et lui était venu passer du temps chez
moi à la campagne. Il s'affaiblissait toujours plus, mais il
aimait ces visites et en 2008 il est descendu pour Noël.

Je m'étais organisée pour qu'on le conduise chez moi et
je l'avais installé devant le feu de la cheminée, non loin de
la fenêtre. Le médecin lui avait déconseillé de voyager mais
il voulait venir, moi aussi, et j'avais parlé au médecin qui
m'avait expliqué que papa se nourrissait à peine.

Quand il est arrivé, j'ai demandé à papa avec toutes les
précautions imaginables s'il voulait mourir. Il a souri et a
répondu : «Après Noël. »

Il ne plaisantait qu'à moitié. La nuit de Noël, je me suis
aperçu que je n'arriverais jamais à le mettre au lit, si bien
que j'ai installé de gros coussins près du feu et, en tirant et

poussant, je l'ai transporté du fauteuil au lit provisoire mais confortable, puis je l'ai déshabillé et lui ai enfilé son pyjama. Il s'est endormi d'un coup devant les dernières flammes du feu et je suis restée assise à ses côtés à lui parler, lui expliquer combien j'aurais aimé que les choses s'arrangent plus tôt entre nous, mais que c'était déjà bien, qu'il fallait nous réjouir d'avoir pu les arranger tout court.

Je suis allée au lit et me suis réveillée en sursaut vers quatre heures du matin. Je suis descendue. Les chats étaient couchés sur les couvertures de papa, très calmes, et papa respirait faiblement mais il respirait.

Le ciel regorgeait d'étoiles et à cette heure du jour/de la nuit, elles étaient plus bas et plus proches. J'ai ouvert les rideaux et j'ai laissé entrer les étoiles, au cas où papa se réveillerait, dans ce monde ou dans l'autre.

Il n'est pas mort cette nuit-là et deux jours plus tard, Steve, de l'église, est venu pour le reconduire à Accrington. Alors qu'ils s'éloignaient, je me suis rendu compte que dans la précipitation du départ, entre les valises, les *mince pies* et les cadeaux, je ne lui avais pas dit au revoir alors j'ai sauté dans ma Land Rover et je suis partie à leur poursuite, mais à l'instant où je m'approchais d'eux, sur la colline, le feu est passé au vert et ils ont disparu.

Papa est mort le lendemain.

Je suis montée à la maison de repos d'Accrington en voiture. Papa était allongé dans son lit, rasé de près et habillé. Nesta, la directrice, s'était occupée de lui. « J'aime bien le faire, m'a-t-elle confié. C'est mon travail. Asseyez-vous près de lui pendant que je prépare du thé. »

Dans le nord de l'Angleterre, la tradition est de servir le thé dans de toutes petites tasses quand vous souhaitez témoigner du respect à votre invité. Nesta, qui est une géante, est revenue avec un service de poupée qui comprenait même une pince à sucre pas plus grande qu'une pince à épiler. Elle s'est assise dans l'unique fauteuil et je me suis installée sur le divan non loin de papa mort.

« Vous allez devoir voir le médecin légiste. Vous l'avez peut-être empoisonné.

– Mon père ?

– Oui. Avec une *mince pie*. Le médecin lui avait conseillé de ne pas voyager – il arrive chez vous vivant, il revient ici et tombe raide mort. Personnellement, je crois que tout est de la faute d'Harold Shipman. »

Harold Shipman était le dernier d'une longue liste de sinistres praticiens à avoir poussé dans la tombe un nombre conséquent de ses vieux patients. Mais il n'avait pas tué papa.

« Je veux dire qu'ils vérifient tout, à présent, explique Nesta. Nous ne pourrons pas enterrer votre père avant que le médecin légiste ne l'ait vu. Je vous le dis, tout ça c'est la faute d'Harold Shipman. »

Elle m'a resservi du thé et a souri à papa. « Regardez-le. Il est avec nous. Ça se voit. »

Le médecin légiste a fini par nous remettre le corps, mais la comédie macabre n'était pas terminée. Papa avait une concession où être enterré, or après la cérémonie funèbre, une fois au cimetière, il s'est avéré que mon chèque pour faire ouvrir la tombe n'était pas arrivé. La tombe était prête, mais les responsables du cimetière voulaient du liquide. Je suis passée à leur bureau en demandant ce qu'il fallait faire. Un des hommes m'a expliqué où se trouvait le distributeur de billets le plus proche. J'ai dit : « Mon père est dehors dans son cercueil. Je ne vais pas passer à un distributeur.

— C'est-à-dire que normalement, on insiste pour être payés d'avance parce qu'à partir du moment où une personne est enterrée, on ne va pas la déterrer si les proches mettent les voiles sans payer. »

J'ai essayé de les rassurer en promettant de ne pas mettre les voiles. Heureusement, j'avais un exemplaire des *Oranges* dans mon sac – j'avais l'intention de le glisser dans le cercueil de papa mais j'ai changé mon fusil d'épaule. Le livre a fait son effet et deux des employés avaient vu le film à la télévision, donc... après un moment d'hésitation, ils ont accepté que je leur fasse un autre chèque sur-le-champ, et le cercueil en bois de saule de mon père a rejoint celui de sa seconde épouse. C'était sa volonté.

Mrs Winterson est plus loin. Seule.

Il était temps de regagner le tribunal. « Essaye de garder le silence », m'a conseillé Susie.

Le greffier avait l'air beaucoup plus joyeux. Il avait eu l'autorisation du juge de confirmer l'âge de ma mère, mais pas sa date de naissance. Elle avait bien dix-sept ans. Mrs Winterson n'avait donc pas menti sur ce point.

J'ai emmené Susie voir ma maison du 200 Water Street, l'église d'Elim sur Blackburn Road et la bibliothèque aujourd'hui scandaleusement dépouillée de tant de ses livres, dont ceux du rayon Littérature anglaise de A à Z.

Comme dans la plupart des bibliothèques du Royaume-

Uni, les livres sont devenus moins importants que les ordinateurs et les prêts de CD.

En regagnant Manchester, nous avons fait un crochet par Blackley où ma mère a vécu autrefois. Y vivait-elle encore ? Était-elle la femme à l'arrêt de bus ? Mrs Winterson m'avait dit qu'elle était morte. Vrai ? Pas vrai ?

L'agence d'adoption n'existait plus depuis longtemps et il allait encore falloir partir à la pêche d'un dossier à moitié moisi. J'ai appelé le nouvel organisme en charge de ces questions et j'ai expliqué la situation en bafouillant et en butant à moitié sur les mots.

« Comment vous appelez-vous ?

– Jeanette Winterson.

– Non, votre nom à la naissance. C'est celui que nous aurons dans nos archives, pas Winterson. C'est vous qui avez écrit ce livre, *Les oranges ne sont pas les seuls fruits* ? »

Cauchemar cauchemar cauchemar.

Je le laisse fouiller les archives et me lance dans mes recherches sur un site consacré à la généalogie.

Rien ne m'intéresse moins que l'accumulation d'archives. Je brûle mes travaux en cours, je brûle mes journaux, et je détruis les lettres. Je ne souhaite pas vendre les ébauches de mes romans à une bibliothèque universitaire du Texas et je ne souhaite pas que mes écrits personnels fassent l'objet d'une thèse de doctorat. Je ne comprends pas l'obsession pour la généalogie. Mais comment le pourrais-je ?

Mes recherches sur Internet m'ont amenée à penser que

ma mère s'est mariée après mon adoption. Le nom de mon père ne figurait pas sur le certificat de naissance si bien que je ne pouvais pas savoir s'ils avaient entamé une vie ensemble, pris un nouveau départ, ou si l'existence avait poussé ma mère vers quelqu'un d'autre.

Quelle que soit la réponse, j'ai été prise d'une antipathie immédiate et injustifiée pour l'homme qu'elle a épousé, et j'ai prié pour qu'il ne soit pas mon père. Il ne s'appelle pas Pierre K. King mais c'est un nom approchant, francisé de manière absurde.

À mon plus grand soulagement, j'ai appris qu'ils avaient divorcé assez rapidement, et qu'il était mort en 2009.

Mais j'ai aussi découvert que j'avais un frère, ou un demi-frère, et que je ferais mieux de ne pas être trop grossière avec son papa qui pouvait aussi être le mien, ou pas.

Quelles raisons avaient-ils de me donner à l'adoption ? Tout devait être à cause de lui parce que je n'aurais pas accepté que l'idée vienne d'elle. Il me fallait croire que ma mère m'aimait. C'était risqué. Ce pouvait être un fantasme. Si j'avais été voulue, pourquoi m'abandonner six semaines après la naissance ?

Je me demandais aussi si une grande partie de ma méfiance à l'égard des hommes en général était liée à ces débuts ratés.

Je n'éprouve plus cette méfiance – encore quelque chose qui a évolué de manière décisive lors de ma période de démence. Les hommes que je connaissais se montraient bons avec moi, et j'ai découvert que je pouvais compter sur eux. Mais mon changement d'attitude était plus général ; j'éprouvais une plus grande compassion pour tous les êtres humains en souffrance ou inadaptés, hommes ou femmes.

Mais nouvelle JW ou pas, j'en voulais énormément au mari de ma mère. J'avais envie de le tuer même s'il était déjà mort.

Aucune nouvelle de l'agence d'adoption. J'ai dû m'admonester pour trouver le courage de les rappeler. En composant le numéro, je fais les cent pas et j'ai le souffle coupé.

Ils sont tous très gentils – toutes nos excuses –, ils avaient perdu mon numéro de téléphone. Ah, et je n'ai pas le droit de consulter mon dossier, mais mon assistante sociale, si, du moment qu'elle ne me donne aucun détail concernant les Winterson, ce qui est une règle bizarre, me semble-t-il, surtout quand il s'agit de personnes décédées.

Ria fait une demande écrite du dossier et entretemps, mon anniversaire arrive, et entretemps j'ai perdu la trace de ma mère parce que les femmes changent de nom. S'est-elle remariée ? Est-elle en vie ?

Cela me tracasse. Tous ces efforts alors qu'elle est peut-être morte. J'ai toujours cru qu'elle était morte... Une histoire de Mrs W.

Susie et moi allons à New York pour mon anniversaire. « Je crois que tu sais comment aimer, me dit Susie.

– Vraiment ?

– Mais je crois que tu ne sais pas comment être aimée.

– Qu'est-ce que tu entends par là ?

– La plupart des femmes peuvent donner – nous sommes entraînées pour ça –, mais la plupart des femmes trouvent difficile de recevoir. Tu es généreuse et tu es gentille – je ne voudrais pas être avec toi, autrement, aussi brillante et impressionnante sois-tu – mais nos disputes et nos problèmes tournent autour de l'amour. Tu n'as pas confiance en mon amour, n'est-ce pas ? »

Non... je suis le mauvais berceau... cela tournera mal comme tout le reste. J'en suis persuadée au plus profond de moi.

Mon nouvel exercice en amour est de me persuader que les choses se passeront bien pour moi. Je ne suis pas obligée d'être seule. Je ne suis pas obligée de me battre pour tout. Je ne suis pas obligée de me battre contre tout. Je ne suis pas obligée de m'enfuir. Je peux rester parce que c'est l'amour qui est offert, un amour constant sain stable.

« Et si jamais nous venions à nous séparer, dit Susie, tu sauras que tu as vécu une belle relation. »

Tu es voulue, est-ce que tu le comprends, Jeanette ?

Ria et moi nous retrouvons à Liverpool où elle vit. Elle arrive à mon hôtel avec une nouvelle enveloppe et j'éprouve ces sensations devenues familières, la bouche sèche et le cœur qui bat la chamade.

Nous buvons un verre. Apparaît un formulaire antédiluvien.

« Voilà, lance Ria, tous les papiers le reliant à la classe ouvrière – votre papa était mineur ! Et il ne faisait qu'un mètre cinquante-sept – regardez, quelqu'un l'a crayonné au dos. Il était sportif. Il avait vingt et un ans. Cheveux sombres. »

Et ce n'est pas Pierre K. King ! Ô joie !

Je pense à mon corps. Je mesure un mètre cinquante-deux – une loi génétique veut que les filles ne soient pas plus grandes que leur père, donc pour ce qui est de la taille, j'ai respecté la règle.

J'ai le haut du corps puissant – du genre prévu pour se frayer un chemin dans des tunnels bas de plafond en traînant des chariots de charbon et pour manier des outils lourds. Je peux porter Susie dans mes bras sans difficulté – entre autres parce que je fais de la gym, mais aussi parce que ma force est répartie dans la partie supérieure de mon corps. Et j'ai toujours eu des problèmes respiratoires... l'héritage du mineur.

Je pense qu'en 1985, l'année où j'ai publié *Les oranges ne sont pas les seuls fruits*, Margaret Thatcher détruisait à jamais le syndicat national des mineurs. Mon père était-il parmi les piquets de grève ?

Le formulaire indique enfin la date de naissance de ma mère – elle est Sagittaire, comme mon père.

Le formulaire révèle que dans la case attribuée à la raison de l'adoption, ma mère avait écrit : *C'est mieux pour Janet d'avoir un père et une mère.*

Je sais par mes recherches sur le site de généalogie que son propre père est mort quand elle avait huit ans. Je sais aussi qu'elle a sept frères et sœurs.

C'est mieux pour Janet d'avoir un père et une mère.

Je m'appelais donc Janet – ce qui est proche de Jeanette – mais Mrs Winterson a francisé mon prénom. Je la reconnais bien là...

« Je ne suis pas autorisée à vous en dire beaucoup sur les Winterson, dit Ria. Ces informations sont confidentielles, mais il y a des lettres où Mrs Winterson explique qu'elle espère pouvoir adopter un bébé et il y a un mot de l'assistante sociale qui leur a rendu visite où elle rapporte que les toilettes extérieures sont propres et fonctionnent bien... dans une note, elle ajoute que vos futurs parents "ne sont pas ce qu'on appellerait modernes". »

Ria et moi éclatons de rire – le mot date de 1959. Ils n'étaient pas modernes à l'époque alors comment allaient-ils pouvoir rattraper leur retard avec l'arrivée des années 60 ?

« Il y a autre chose, annonce Ria. Vous êtes prête ? »

Non. Je ne suis préparée à rien de tout cela. Buvons un autre verre. À cet instant entre une metteur en scène que je connais vaguement – elle séjourne à l'hôtel – et très vite nous nous mettons à boire, à discuter toutes les trois, et je souhaiterais être un de ces personnages de dessin animé qui voit une scie découper un grand cercle autour de leur chaise.

Le temps passe.

Vous êtes prête ?

« Il y a eu un autre bébé... avant vous... un garçon... Paul. »

Paul ? Mon angélique frère invisible ? Le garçon qu'ils auraient dû avoir. Celui qui n'aurait jamais noyé sa poupée dans l'étang, ou rempli sa housse de pyjama de tomates. Le Diable nous a dirigés vers le mauvais berceau. Sommes-nous revenus au début ? Le certificat de naissance que j'ai trouvé était-il celui de Paul ?

Ria ne sait pas ce qu'il lui est arrivé, le dossier comprend une lettre de Mrs Winterson, que je n'ai pas le droit de voir, où elle exprime une grande déception, explique qu'elle avait déjà acheté les vêtements de Paul et n'aurait pas les moyens d'en payer d'autres.

Je commence tout juste à intégrer que Mrs Winterson attendait un garçon et que, puisqu'elle ne pouvait se permettre de jeter les vêtements, elle m'habillerait comme un garçon... je n'ai donc pas fait mon apparition dans son monde en tant que Janet, ou Jeanette, mais en tant que Paul.

Oh non oh non oh non, et moi qui croyais que ma vie n'était qu'une question de choix sexuel et de féminisme et et... il se trouve qu'au début, j'étais un garçon.

Ne demande pas pour qui sonne la cloche.

L'explication absurde de ce que j'ai toujours éprouvé est d'un humour si féroce que mes sentiments pour mes différentes mères et toutes mes identités passent soudain de la peur à la joie. La vie est ridicule. La vie est folle et chaotique. Dans ma tête, je me récite le poème d'Anne Sexton — le dernier de son recueil *The Awful Rowing toward God* (1975). Le poème qui s'intitule « La nage s'achève ». Elle est assise avec Dieu et...

Allons-y ! dit-il et c'est ainsi
que nous prenons place sur les récifs
et entamons — est-ce bien vrai —
une partie de poker.
Il suit.
Je gagne parce que j'ai une quinte royale.
Il gagne parce qu'Il a cinq as
Un joker avait été donné
mais je ne l'avais pas entendu
Encore sous le choc
de L'avoir vu sortir puis distribuer les cartes.

Au moment où Il abat Ses cinq as
et alors que je souris à cause de ma quinte royale
Il éclate de rire,
d'un rire qui roule comme un cerceau de Sa bouche
à la mienne,
et d'un tel rire qu'Il est plié en deux au-dessus de moi
riant un refrain de réjouissance face à nos deux triomphes.
Puis j'ai ri, le bassin plein de poisson a ri
la mer a ri. L'île a ri.
L'Absurde a ri.

Cher donneur,
Moi qui ai une quinte royale,
je t'aime pour ce joker,
cet éclat haha indomptable, éternel, monté des tripes
et pour l'amour chanceux.

Et l'amour chanceux. Oui. Toujours.

Susie m'a expliqué qu'avec les petits garçons, les mères font tout différemment – elles les tiennent et leur parlent différemment. D'après elle, si Mrs W s'était préparée psychologiquement à avoir un garçon au cours du long processus de l'adoption, elle n'avait pas été capable de changer son rythme intérieur quand elle s'est retrouvée avec une fille. Et moi, sensible à tous les signaux, parce que je m'efforçais de survivre à une perte, je tentais de négocier ce qui était offert et ce qui était demandé.

Je tiens à préciser qu'à mon avis, l'identité ou l'identité sexuelle ne s'établit pas de cette manière, mais je crois qu'il paraît sensé de prendre en compte ce qui m'est arrivé – d'autant que Mrs Winterson a dû connaître assez de doutes pour nous deux.

Elle se plaignait sans cesse parce que je refusais d'être séparée de mon short – mais qui me l'avait enfilé ?

Ces nouvelles informations m'ont procuré un sentiment de libération mais cela ne m'a pas permis d'avancer dans la quête de ma mère.

J'ai eu de la chance parce qu'un de mes amis a l'esprit fait pour résoudre les casse-tête impossibles et c'est un fou d'ordinateurs. Il avait la ferme intention de me trouver un arbre généalogique et a passé des heures connecté à des sites spécialisés à chercher des indices. Il a ciblé des parents de sexe masculin parce que les hommes ne changent pas de nom de famille.

Il a fini par trouver un lien direct – un oncle. Il a consulté les listes électorales pour obtenir son adresse. Puis il a cherché son numéro de téléphone. Je me suis préparée à cet appel pendant trois semaines. Il me fallait un prétexte.

Un samedi matin, le cœur battant comme celui d'un oiseau en pleine agonie, j'ai téléphoné. Un homme a décroché.

J'ai dit : « Bonjour – vous ne me connaissez pas mais votre sœur et ma mère étaient très proches à une époque. »

Ce qui n'était pas faux, non ?

« Laquelle ? dit-il. Ann ou Linda ?

– Ann.

– Oh Ann. Redites-moi votre nom ? Vous essayez de la contacter ? »

Ma mère était en vie.

En raccrochant, j'éprouvais un mélange d'allégresse et de peur. Mrs Winterson avait menti ; ma mère n'était pas morte. Mais cela voulait dire que j'avais une mère. Et mon identité s'était construite autour du fait d'être orpheline – et enfant unique. Voilà que j'avais tout un arsenal d'oncles et de tantes… et qui sait combien de moitiés de frères et sœurs ?

J'ai décidé d'écrire une lettre à Ann et de l'envoyer aux bons soins de l'oncle.

Environ une semaine plus tard, j'ai reçu un texto provenant d'un numéro inconnu. Il était intitulé « Petite chérie ». J'ai cru que cela venait d'une agence de rencontres russe et j'ai failli l'effacer. Une collègue s'était fait voler son ordinateur et depuis, je recevais des messages insensés de beautés de la Baltique en mal de mari occidental.

Susie m'a pris le téléphone des mains. « Imagine que ça vienne d'Ann ?

– Impossible ! » Je l'ai tout de même ouvert – le problème avec les messages de ces beautés de la Baltique était qu'ils commençaient tous par : « Je n'arrive pas à croire que c'est toi… », comme celui-ci.

« Tu veux que j'appelle ? » a demandé Susie.

Oui. Non. Oui. Non. Oui. Non. Oui.

Susie est descendue avec mon téléphone et j'ai fait ce que je fais toujours quand je suis dépassée par les événements – je me suis endormie dans la seconde.

Susie est remontée à l'étage et m'a surprise en train de ronfler. Elle m'a réveillée. « C'était ta mère. »

Quelques jours plus tard, une lettre est arrivée avec une photo de moi à trois semaines – l'air assez préoccupé, je trouve. Mais d'après Susie, tous les bébés ont l'air inquiet – et qui peut nous en vouloir ?

Dans la lettre, elle me racontait qu'elle était tombée enceinte à seize ans – mon père avait des cheveux noirs de jais. Qu'elle s'était occupée de moi pendant six semaines dans un foyer pour mères célibataires avant de me faire adopter. « Ça a été tellement dur. Mais je n'avais pas d'argent et nulle part où aller. »

Elle expliquait que mon existence n'avait jamais été cachée – moi qui pensais *via* Mrs Winterson que tout devait être gardé secret : les livres, les amours, les vrais noms, les vraies vies.

Ensuite, elle a écrit : « Tu as toujours été voulue. »

Tu le comprends, Jeanette ? Tu as toujours été voulue.

14

Étrange rencontre

... ma mère m'a couru après dans la rue. Regarde-la, on dirait un ange, un rai de lumière, qui court à côté du landau. J'ai levé les mains pour l'attraper et la lumière était là, sa silhouette découpée, mais comme le font les anges et la lumière, elle a disparu.

Est-ce elle, au bout de la rue, de plus en plus petite, comme une étoile à dix années-lumière ?

J'ai toujours cru que je la reverrais.

The Stone Gods (2007)

Je parlais à mon amie la réalisatrice Beeban Kidron. C'est elle qui a réalisé l'adaptation télévisée des *Oranges* et nous nous connaissons depuis longtemps. Nous avons un comportement instable et difficile – tant entre nous qu'avec les autres – mais nous sommes toutes les deux arrivées à une sorte d'accord avec la vie ; pas un compromis, un accord.

Nous nous moquions de Mrs Winterson, de son caractère monstrueux et impossible, tout en disant qu'elle me convenait parfaitement, moi qui, comme elle, n'aurais jamais pu accepter de vivre une existence étriquée. Elle était la version introvertie ; j'étais la version extravertie.

« Qu'est-ce que tu serais devenue sans elle ? m'a dit Beedan. Je sais que tu étais impossible, mais au moins tu en as fait quelque chose. Imagine si tu avais juste été impossible ! »

Oui... J'ai vécu une expérience déroutante à Manchester. J'étais commissaire d'une exposition sur les femmes surréalistes à la Manchester Art Gallery, et en toute fin de soirée, après le vernissage, j'ai atterri dans un bar avec les mécènes.

C'était un de ces bars en sous-sol dans la Manchester moche, mais pleine aux as, la première cité de l'alchimie où les ordures étaient transmuées en or. Pourquoi entreposer vos poubelles dans la cave alors que vous pourriez l'inonder de lumière bleue, la remplir d'une pyramide de tabourets à longs pieds chromés, couvrir les murs hideux de miroirs déformants et demander vingt livres pour une vodka martini ?

Une vodka martini très spéciale, bien entendu, faite à base de vodka de pomme de terre versée d'une bouteille bleue en verre fumé et personnellement préparée sous vos yeux par un barman ultra-gay au joli coup de poignet.

Ce soir-là, je portais un tailleur Armani à fines rayures, un débardeur rose, des chaussures Jimmy Choo, et – pour une raison que je ne peux pas expliquer ici – je m'étais mis de l'autobronzant.

Soudain, je me suis aperçue que je me serais forcément trouvée dans ce bar cette nuit-là. Si je n'avais pas découvert la littérature, si je n'avais pas transformé ma bizarrerie en poésie et ma colère en prose, je n'aurais pas été une anonyme sans le sou. Je me serais servie de la pierre philosophale qu'est Manchester pour opérer ma propre transmutation.

Je me serais lancée dans l'immobilier et aurais fait fortune.

À l'heure qu'il est, j'aurais les seins refaits, au moins deux ou trois maris au compteur, et je vivrais dans une demeure de style ranch avec une Range Rover garée dans l'allée ainsi qu'un jacuzzi dans le jardin, et mes enfants ne m'adresseraient plus la parole.

Je porterais ce même tailleur Armani, et arborerais ce même bronzage artificiel en descendant un trop grand nombre de ces vodkas martini dans un trop grand nombre de ces bars bleutés en sous-sol.

Je suis du genre à préférer marcher plutôt que d'attendre le bus. Du genre à trouver un itinéraire bis plutôt que de rester coincée dans les bouchons. Du genre à penser qu'à tout problème il existe une solution. Je ne supporte pas de faire la queue – je préfère renoncer à ce qui m'oblige à faire la queue – et je n'accepte pas qu'on me refuse quoi que ce soit. Qu'est-ce qu'un « non » ? Soit vous avez posé la mauvaise question, soit vous vous êtes adressé à la mauvaise personne. Trouvez le moyen d'obtenir un « oui ».

« Tu n'acceptes que des "oui", affirme Beeban. Un oui adressé à celle que tu étais et qui apaise le passé. Je ne sais pas pourquoi tu fais ça, après tout ce temps, mais c'est comme ça que tu fonctionnes. »

J'imagine que cela a à voir avec la bifurcation des chemins. Je ne cesse de voir ma vie filant sur les autres voies qu'elle aurait pu emprunter au gré des hasards et des circonstances, des humeurs et du désir, ouverts ou fermés, portails, trajets, routes ouverts ou fermés.

Et pourtant, il y a une impression d'inévitabilité liée à celle que je suis – comme le fait que de toutes les planètes à travers tous les univers, la planète bleue, cette planète Terre, soit celle que nous habitons.

Je crois que depuis quelques années, j'ai trouvé ma maison. J'ai cherché à m'en construire une sans jamais me sentir à l'aise en moi-même. J'ai travaillé dur pour être l'héroïne de mon existence, mais chaque fois que je consultais le registre des personnes déplacées, je me trouvais toujours dedans. Je n'arrivais pas à trouver ma place.

Déplacée ? Oui. À ma place ? Non.

Ruth Rendell m'a appelée. « Je pense que tu devrais y aller et régler cette histoire une bonne fois pour toutes. Maintenant que tu sais qui est ta mère, tu dois la voir. Tu lui as téléphoné ?

— Non.

— Pourquoi ?

— J'ai peur.

— Tu ne serais pas normale si tu n'avais pas peur. »

Ruth et son mari Don représentent des figures stables dans ma vie et ils ont pris soin de moi alors même qu'à une époque, j'étais folle et incontrôlable. J'ai confiance en Ruth et je lui obéis (presque) toujours. M'appeler pour me faire passer un interrogatoire ne lui ressemblait pas, mais elle sentait que je fuyais la situation. Elle avait raison. J'avais passé une année à m'approcher petit à petit de cet instant, et voilà que j'essayais à présent de gagner du temps.

« Quel train vas-tu prendre ?

— D'accord... d'accord. »

D'accord. Malgré la neige et les bulletins météo qui incitaient à rester chez soi, j'ai pris un train pour Manchester. J'ai décidé de passer la nuit à l'hôtel et de prendre un taxi pour aller voir Ann le lendemain matin.

J'aime cet hôtel et j'y séjourne souvent. J'y ai dormi la veille de l'enterrement de mon père.

Le lendemain, alors que l'on portait le cercueil à l'intérieur de l'église, j'ai craqué. Je n'avais plus mis les pieds dans cette église depuis trente-cinq ans et en une fraction de seconde, tout avait resurgi ; le vieux présent.

Quand mon tour est venu de parler de papa, j'ai dit : « Les choses que je regrette le plus dans ma vie ne sont pas mes erreurs de jugement mais mes déficiences émotionnelles. »

J'y repensais pendant que je dînais en silence dans ma chambre.

Bien qu'il ait été depuis longtemps contredit tant par la psychanalyse que la science, et qu'aucun poète ni aucun mystique n'y ait jamais cru, le fantasme populaire selon lequel il est possible de penser sans éprouver d'émotion perdure. Pourtant, cela est impossible.

Il y a de la subjectivité même quand nous prétendons à l'objectivité. Revendiquer la neutralité est une prise de position. Chaque fois que nous disons « Je pense », nous ne laissons pas nos émotions à la porte. Dire à quelqu'un de ne pas être émotif revient à lui dire d'être mort.

Mes déficiences émotionnelles découlaient de l'oblitération des sentiments là où ils étaient trop douloureux. Je me souviens d'avoir regardé *Toy Story 3* avec mes filleuls, et d'avoir pleuré lorsque l'ours abandonné devenu tyran des salles de jeux résume sa philosophie du survivant en un : « Pas de propriétaire, pas de déception. »

Mais je voulais qu'on me désire.

Je me représentais en cow-boy solitaire, pas en Lassie. Ce qu'il me fallait comprendre était qu'on pouvait être solitaire *et* vouloir être désirée. Ce qui nous ramène à la complexité de la vie qui n'est ni ceci ni cela – ce bon vieux dualisme si ennuyeux –, elle est les deux à parts égales. Si simple à écrire. Si difficile à construire/vivre.

Et les gens que j'ai blessés, les erreurs que j'ai commises, le mal que j'ai infligé aux autres et à moi, cela ne venait pas d'un jugement défaillant ; c'était l'endroit où l'amour avait durci et pris la forme de la perte.

Je suis dans un taxi et nous quittons Manchester. J'ai des fleurs. J'ai l'adresse. Je suis au plus mal. Susie m'appelle. « Où es-tu ? » *Aucune idée, Susie.* « Depuis combien de temps es-tu dans ce taxi ? » *Environ cinquante ans.*

Manchester, entre frime et ruine. Les entrepôts et les bâtiments municipaux ont été reconvertis en hôtels, bars ou appartements de grand standing. Le centre-ville est bruyant, rutilant et criard, respire la réussite et affiche sa richesse comme la ville l'a toujours fait du jour où elle est devenue le moteur de l'Angleterre.

Éloignez-vous un peu et les destins divergents de Manchester vous sautent aux yeux. Les rangées de maisons mitoyennes modestes et solides ont été rasées comme on se débarrasse de taudis et remplacées par des tours d'habitation et des culs-de-sac, des centres commerciaux et des salles d'arcades. Les grossistes indiens semblent s'en sortir, mais la plupart des petits commerces ont leur devanture condamnée, perdues sur les bords de voies rapides et hostiles.

De temps à autre, seul, échoué ici ou là, un bâtiment imposant indique Mechanics' Institute ou Coopérative. Il y a un viaduc, un bosquet de bouleaux, un mur en pierre noircie ; des vestiges de vestiges. Un entrepôt qui vend des pneus, un hypermarché, le panneau d'une station de taxis, un bureau de paris, des gamins à skateboard qui n'ont jamais connu d'autre vie que celle-ci. Des hommes d'un âge avancé, la mine perplexe. Comment en sommes-nous arrivés là ?

Je suis gagnée par la même colère que lorsque je retourne dans la ville qui m'a vue grandir, à trente kilomètres de là. Qui finance ce vandalisme municipal et dans quel but ? Pourquoi les gens honnêtes ne peuvent-ils pas vivre dans un environnement décent ? Pourquoi tout ce goudron, ces rambardes métalliques, ces logements sociaux laids et ces centres commerciaux ?

J'aime le nord industriel de l'Angleterre et je déteste voir ce qu'il est devenu.

Mais je sais que ces réflexions sont ma façon de me distraire. Le taxi ralentit. Ça y est, JW. Nous y voilà.

En descendant du taxi, je me sens prise au piège, aux abois, terrorisée et mal physiquement. Susie me répète sans cesse d'être dans le sentiment plutôt que de le repousser, même si c'est difficile.

Un réflexe hystérique me donne envie d'entonner :

« Réjouissez-vous saints de Dieu ». Mais non, cela appartient à l'autre enfance, à l'autre mère.

La porte s'ouvre avant que je frappe. Un homme qui me ressemble assez se tient devant moi. Je sais que j'ai un demi-frère, ce doit donc être lui. « Gary ? » dis-je. « Bonjour, sœurette », lance Gary.

J'entends qu'on se précipite depuis la cuisine et deux petits chiens surgissent en faisant des bonds comme des yoyos poilus, et de derrière un enchevêtrement de fils à linge, qui sont la preuve d'un véritable optimisme vu la température plus que glaciale, apparaît ma mère.

Elle est petite, avec des yeux brillants et un sourire généreux.

Je suis très heureuse de la voir. « Je m'étais dit que j'allais faire une lessive avant que tu n'arrives », ce sont ses premiers mots.

Exactement le genre de chose que je pourrais dire.

Ann sait quelle vie j'ai eue. Je lui ai envoyé le DVD des *Oranges* en guise de « Voilà ce qui s'est passé pendant que tu n'étais pas là ». Elle est bouleversée par le monde Winterson et la folie furieuse de mon autre mère la perturbe beaucoup. « Je suis désolée de t'avoir abandonnée. Ce n'était pas ce que je voulais, tu le sais ça, n'est-ce pas ? Je n'avais pas d'argent, nulle part où aller et Pierre refusait d'élever l'enfant d'un autre homme. »

Je m'en doutais… mais je n'ai rien dit parce qu'il semblait injuste envers Gary que sa toute nouvelle demi-sœur se mette à casser du sucre sur le dos de son père mort.

Je ne veux pas qu'elle soit bouleversée. « Ce n'est pas grave », dis-je.

Plus tard, après avoir entendu mon récit et étouffé son fou rire, Susie a déclaré que je n'aurais pas pu trouver de réponse plus inadéquate. « Ce n'est pas grave ? Oui, laisse-moi sur le pas de la porte en attendant que passe le camion avec le chapiteau évangélique. Ce n'est pas grave ! »

Mais c'est vrai... Ce n'est pas grave. Je ne lui reproche absolument rien. Je pense qu'elle a fait la seule chose qu'elle pouvait faire. J'étais sa bouteille à la mer.

Et je sais, au plus profond de moi que Mrs W elle aussi m'a donné ce qu'elle pouvait – c'était un cadeau bien sinistre, mais pas inutile.

Ma mère est franche et généreuse. C'est une impression bizarre pour moi. Une parente doit être vengeresse et ressembler à un labyrinthe. Je craignais d'aborder la question de ma compagne parce qu'Ann m'avait déjà demandé si j'étais mariée et si j'avais des enfants. Mais je ne pouvais pas esquiver le sujet.

« Tu veux dire que tu ne fréquentes pas d'hommes ? » a-t-elle demandé.

J'imagine que c'est ce que je veux dire.

« Ça ne me pose aucun problème, a répondu Ann.

– À moi non plus », est intervenu Gary.

Minute, papillon... ce n'est pas ce qui est censé se passer... voilà, ce qui est censé se passer :

J'ai pris la ferme résolution d'expliquer à Mrs Winterson que je suis amoureuse. J'ai quitté la maison mais j'aimerais qu'elle comprenne comment je vis. Je vais bientôt entrer à Oxford et il s'est écoulé assez de temps depuis l'épisode heureux/normal. Du moins je le crois, mais je découvre que le temps n'est pas fiable. Ces vieux proverbes qui disent que le temps est le meilleur remède, qu'il faut laisser du temps au temps… En vérité, tout dépend du temps de qui on parle. Pour Mrs Winterson qui évolue à la fin des temps, le temps ordinaire ne veut pas dire grand-chose. L'histoire du mauvais berceau l'indigne encore.

Elle nettoie le seau à charbon avec du Brasso. Elle a déjà fait la volée de canards posée sur le manteau de la cheminée et le casse-noix en forme de crocodile. Je ne sais pas comment commencer alors j'ouvre la bouche et dis : « Je crois que j'aimerais toujours les femmes comme je les aime… »

À cet instant, les varices qu'elle a sur la cuisse éclatent. Le sang gicle comme un geyser et le plafond est tout éclaboussé d'écarlate. J'attrape le chiffon plein de Brasso et tente de juguler l'hémorragie… « Pardon. Je ne voulais pas te mettre dans cet état… » Et sa jambe entre de nouveau en éruption.

À présent, elle est à moitié allongée dans le fauteuil, le pied surélevé sur le seau à charbon en cours de nettoyage. Elle a les yeux rivés au plafond. Elle ne dit rien.

« Maman… tu vas bien ?

– Quand je pense que le plafond venait d'être repeint. »

À quoi aurait ressemblé ma vie si elle avait dit : « Oh ça ne nous pose aucun problème, ni à ton père ni à moi » ?

À quoi aurait ressemblé ma vie si Ann m'avait gardée ? Est-ce que je serais sortie avec une fille ? Et si je n'avais pas été obligée de me battre pour ma petite amie, pour moi ? Je ne crois pas trop à cette histoire de gène de l'homosexualité. Peut-être me serais-je mariée, aurais-je eu des enfants, me serais-je tartinée d'autobronzant, etc.

Réfléchir à tout cela a dû me faire sombrer dans le silence.

« Est-ce que Mrs Winterson était une lesbienne refoulée ? » me demande Ann.

J'avale mon thé de travers. J'ai l'impression de participer à la Journée « Brûlons le Coran ». Certaines choses ne devraient même pas être suggérées. Mais maintenant que c'est fait, impossible d'échapper à cette idée terrifiante. Je suis presque sûre qu'elle ne refoulait strictement rien – même s'il aurait sans doute mieux valu qu'elle étouffe certaines de ses pulsions. Il se pourrait qu'elle ait été une meurtrière refoulée, si l'on pense au revolver dans le tiroir à chiffons, etc., mais je crois qu'avec elle, tout remontait à la surface, complètement brouillé. Elle était son propre code Enigma, mais ni mon père ni moi n'étions des cryptologues de Bletchley Park.

« C'était juste une question, s'est repris Ann, vu qu'elle te conseillait "de ne jamais laisser un garçon te toucher en bas".

– Elle ne voulait pas que je tombe enceinte. » Mince. Mauvaise réponse, mais après tout, Mrs Winterson était farouchement contre les unions illégitimes, comme on disait à l'époque, et n'avait que mépris pour les femmes comme celle qui m'a pourtant donné une chance de vivre et à Mrs Winterson la chance de m'avoir.

« Je me suis mariée quatre fois, dit Ann.

– Quatre fois ? »

Elle sourit. Elle ne porte aucun jugement sur elle-même ni sur les autres. La vie est ce qu'elle est.

Mon père, le mineur miniature de Manchester, n'était pas un des quatre maris.

« Tu as la même carrure que lui, des hanches étroites alors que de mon côté on a tous les hanches larges, et tu as les mêmes cheveux. Il était très brun. Il était beau comme un dieu. C'était un blouson noir. »

Il faut que je mette tout ça à plat. Ma mère s'est mariée quatre fois. Mon autre mère était peut-être une lesbienne refoulée. Mon père était un blouson noir. Ça fait beaucoup à digérer.

« Personnellement, je préfère les hommes, mais je ne leur fais pas confiance. Je sais installer l'électricité, faire du plâtre et monter une étagère. Je ne compte que sur moi. »

Oui, nous nous ressemblons. L'optimisme, l'autonomie. Le fait que nous soyons toutes les deux à l'aise avec notre corps. Je me suis longtemps demandé pourquoi j'étais si bien dans mon corps. Je la regarde et apparemment, c'est d'elle que je tiens ça.

Gary est bien bâti, mais trapu. Il aime marcher. Ça ne le dérange pas de parcourir cinq kilomètres un samedi après-midi. Il pratique la boxe. Ils sont encore fiers de leur identité et de leur savoir-faire, ce qui est typique de la classe ouvrière. Ils s'apprécient. Je les observe. Ils discutent. J'écoute. Les choses auraient-elles été comme ça ?

Ann n'a jamais cessé de travailler parce que Pierre l'a quittée quand les garçons étaient petits. J'imagine que j'aurais eu à m'occuper de mes frères. Ça ne m'aurait pas plu.

Je me remémore ce qu'elle a écrit sur le formulaire d'adoption. *Janet mérite d'avoir un père et une mère.*

Mais les garçons n'ont pas eu de père à la maison pendant longtemps. Elle non plus, d'ailleurs. Son propre père est mort dans les années 50.

« Nous étions dix, explique Ann. Comment faisions-nous pour tenir dans deux chambres ? Et quand on ne pouvait pas payer le loyer, c'était le déménagement à la cloche de bois. Mon père avait un chariot à bras et en rentrant il criait : "Prenez vos affaires, on s'en va", alors on mettait tout dans le chariot et on repartait de zéro. Les locations bon marché couraient les rues à l'époque. »

Ma grand-mère maternelle a porté dix enfants, deux sont morts en bas âge, il en reste quatre. Elle a travaillé toute sa vie, et quand elle ne travaillait pas, elle était championne de danse de salon.

« Et elle a vécu jusqu'à quatre-vingt-dix-sept ans », précise Ann.

Je vais aux toilettes. Toute ma vie j'ai été une orpheline, une enfant unique. Voilà que je viens d'une famille nombreuse et bruyante qui fait de la danse de salon et vit éternellement.

Arrive la plus jeune sœur d'Ann, Linda. Théoriquement, c'est ma tante, sauf qu'elle a le même âge que ma compagne et qu'à ce stade de ma vie, il paraît absurde de collectionner les tantes.

« Tout le monde veut te connaître, dit Linda. J'ai vu *Les Oranges* à la télévision, mais je ne savais pas que c'était toi. Ma fille a commandé tous tes livres. »

C'est une démonstration de bonne volonté. Nous avons tous des ajustements à faire.

J'aime beaucoup Linda qui vit en Espagne où, entre autres choses, elle s'occupe de groupes de femmes et enseigne la danse. « Je suis la plus calme de la famille, dit-elle. Impossible d'en placer une quand tout ce monde-là est réuni.

— On devrait organiser une fête », propose Ann. Puis dans un enchaînement digne de Mrs W, elle ajoute : « Tous les matins je me lève en me demandant ce que je fais sur terre. »

Elle ne veut pas dire : « Mon Dieu, je suis encore là » — elle n'est pas comme Mrs W. Elle cherche vraiment une réponse à sa question.

« Il doit y avoir une explication que nous ne connaissons pas encore, dit Gary. Je lis beaucoup de choses sur le cosmos. »

Linda a lu *Le Livre tibétain de la vie et de la mort*, qu'elle recommande à Gary.

C'est l'ancien mode de fonctionnement de la classe ouvrière mancunienne ; on réfléchit, on lit, on médite. Nous pourrions être au temps du Mechanics' Institute, de retour au Centre de formation continue des ouvriers, à la bibliothèque municipale. Je suis fière – d'eux, de moi, de notre passé, de notre héritage. Et je suis très triste. Je n'aurais pas dû être la seule à faire des études. Tous les gens réunis dans cette pièce sont intelligents. Tous se posent des questions qui dépassent leur environnement. Essayez d'expliquer ça aux éducateurs du service public.

Je ne sais pas non plus pourquoi nous sommes sur terre, mais quelles que soient les raisons, cela me ramène à Engels en 1844. Nous ne sommes pas ici-bas pour être uniquement considérés comme des « sujets utilisables ».

Il est facile de parler avec eux. Cinq heures passent à toute vitesse. Il faut que je parte. Je dois rentrer à Londres. Susie vient me chercher à la gare. Je me lève pour dire au revoir. J'ai les jambes en coton. Je suis épuisée.

Ann me serre dans ses bras. « Je me demandais si tu essaierais de me retrouver. Je l'espérais. J'avais envie de partir à ta recherche, mais ça ne paraissait pas bien. »

Je ne parviens pas à exprimer ce que je veux dire. Je n'arrive pas à réfléchir correctement. Je remarque à peine le trajet en taxi qui me ramène à la gare. Comme Susie a travaillé toute la journée, je nous attrape de quoi dîner et je prends une bouteille de vin d'un demi-litre pour moi. J'appelle Susie mais les mots ne viennent pas. « Lis le journal. Détends-toi. Tu es sous le choc. »

Je reçois un texto d'Ann. *J'espère que tu n'as pas été déçue.*

15

La blessure

Ma mère a dû s'arracher une part d'elle-même pour me laisser partir. Il ne s'est pas passé un jour sans que je sente la présence de cette blessure.

Mrs Winterson était un tel amalgame de vérité et d'imposture. Elle m'a inventé beaucoup de mauvaises mères ; des femmes déchues, des droguées, des ivrognes, des cœurs volages. L'autre mère ployait sous un lourd fardeau, mais je l'ai porté pour elle, dans mon désir de la défendre tout en ayant honte d'elle.

Le plus difficile à vivre était de ne pas savoir.

Les histoires de travestissement et de fausse identité m'ont toujours fascinée, celles où le personnage se dévoile une fois nommé. À quoi nous reconnaît-on ? À quoi se reconnaît-on soi-même ?

Dans l'*Odyssée*, Ulysse, en dépit de toutes ses aventures et de ses pérégrinations à travers des pays lointains, est toujours incité à « se souvenir du retour ». Le but du voyage est de regagner son foyer.

Lorsque Ulysse atteint Ithaque, l'agitation règne sur l'île, assaillie par les turbulents prétendants de son épouse sous pression. Il se passe alors deux choses : son chien le reconnaît à son odeur, et sa femme le reconnaît à la cicatrice qu'il a à la cuisse.

Elle touche la blessure.

Les histoires de blessures sont si nombreuses :

Chiron le centaure, mi-homme mi-cheval, reçoit une flèche trempée dans le sang empoisonné de l'Hydre, mais étant immortel, il est condamné à souffrir le martyre pour l'éternité. Toutefois, il utilise la douleur de la blessure pour soigner les autres. Il transforme la blessure en baume.

Prométhée, celui qui a volé le feu aux dieux, est condamné à une blessure quotidienne ; chaque matin, un aigle se perche sur sa hanche et lui arrache le foie ; chaque nuit, la blessure guérit pour être rouverte le lendemain. Je l'imagine, la peau brunie par le soleil, enchaîné à flanc de montagne dans le Caucase, la peau de l'estomac aussi pâle et douce que celle d'un petit enfant.

Thomas, le disciple miné par le doute, doit toucher la blessure qu'a Jésus au côté avant de pouvoir admettre que Jésus est bien celui qu'il dit être.

Gulliver, à la fin de ses voyages, reçoit une flèche à l'arrière du genou alors qu'il quitte le pays des Houyhnhnms – ces chevaux doux et bons, bien supérieurs aux humains.

À son retour, Gulliver préfère vivre dans ses écuries et sa blessure ne guérit jamais. C'est le souvenir d'une autre vie.

L'une des histoires de blessures les plus mystérieuses est celle du roi pêcheur. Le roi, gardien du Graal qui le maintient en vie, souffre d'une blessure qui ne veut pas guérir, or, seule la guérison permettrait au royaume de retrouver son unité perdue. Un jour, Galaad se présente et pose les mains sur le roi. Dans d'autres versions, il s'agit de Perceval.

La blessure est symbolique et ne peut se réduire à une seule interprétation. Mais la blessure est une sorte d'indice ou de clé pour comprendre l'humain. Si elle fait souffrir, elle n'est pas sans valeur.

Dans ces histoires, il existe un lien entre blessure et don/pouvoir : celui qui est blessé est singularisé – littéralement et symboliquement – par la blessure. La blessure est le signe d'une différence. Même Harry Potter porte une cicatrice.

Freud s'est approprié le mythe d'Œdipe et en a fait l'histoire d'un fils qui tue son père et désire sa mère. En fait, Œdipe est l'histoire d'une adoption et d'une blessure. Jocaste perce les chevilles de son fils au moment où elle l'abandonne pour qu'il ne puisse pas s'échapper. Mais il est sauvé, et de retour chez lui, il tue son père et épouse sa mère ; personne ne le reconnaît à l'exception du devin aveugle, Tirésias – exemple de blessés qui se reconnaissent entre eux.

Impossible de renier ce qui est sien. Le rejet force le retour, la reconnaissance, la revanche, la réconciliation, peut-être.

Il y a toujours retour. La blessure qui vous conduit. Elle trace une piste de sang.

Alors que le taxi se range devant la maison, la neige se met à tomber. Quand je devenais folle, j'ai rêvé une nuit que j'étais allongée sur une plaque de verglas et qu'en dessous, main contre main, bouche contre bouche, se trouvait un autre moi, piégé dans la glace.

Je veux briser cette glace, mais si j'y parviens, cela reviendra-t-il à me porter un coup de couteau ?

Debout dans la neige, j'aurais aussi bien pu me tenir à n'importe quel moment de mon passé. Je ne pouvais qu'en arriver là.

Donner naissance est une blessure à part entière. Autrefois, les menstruations revêtaient une signification magique. L'apparition du bébé dans le monde déchire le corps de la mère, expose le petit crâne encore mou. L'enfant est le baume et la plaie. Le lieu de la perte et du gain.

Il neige. Je suis là. Égarée et res(t)ituée.

Ce qui se dresse à présent devant moi, pareil à un étranger qu'il me semble reconnaître, est l'amour. Le retour, ou plutôt la restitution, surnommé « la perte égarée ». Je ne pouvais pas briser la glace qui me séparait de moi-même, je ne pouvais que la laisser fondre, et pour cela je devais perdre pied, voir le sol se dérober. Je devais accepter la fusion chaotique avec ce qui ressemblait à une folie furieuse.

J'ai travaillé sur la base de cette blessure toute ma vie. La cautériser entraînerait la fin d'une identité – l'identité fondatrice. Mais même soignée, une blessure ne disparaît pas ; il restera toujours une cicatrice. On me reconnaîtra toujours à ma cicatrice.

Tout comme ma mère avec qui je partage cette blessure, et qui a dû se façonner une existence autour d'un choix qu'elle ne voulait pas faire. Désormais, dorénavant, comment faire pour nous connaître ? Sommes-nous mère et fille ? Que sommes-nous ?

Mrs Winterson était magnifiquement blessée, comme une martyre du Moyen Âge, le corps entaillé, se vidant de son sang pour Jésus, et tout le monde a pu la voir porter sa croix. La vie n'avait de sens que dans la souffrance. Si vous lui aviez demandé : « Pourquoi sommes-nous sur cette terre ? » Elle aurait répondu : « Pour souffrir. »

Après tout, notre passage sur terre, en tant qu'antichambre de la Fin des Temps, ne peut être qu'une succession de pertes

Mais mon autre mère m'avait perdue comme je l'avais

perdue elle, et notre autre vie faisait penser à un coquillage ramassé sur la plage, renfermant l'écho de la mer.

Qui donc était-elle, cette femme qui était entrée dans le jardin il y a tant d'années et qui avait jeté Mrs Winterson dans un tel accès de rage et de douleur qu'elle m'avait envoyé valser à l'autre bout de l'entrée, renvoyée d'un coup dans l'autre vie ?

J'imagine qu'il s'agissait peut-être de la mère de Paul, l'angélique et invisible Paul. Je suppose que j'ai pu tout inventer. Mais ce n'est pas mon impression. Ce qui est arrivé durant cet après-midi de violence était lié au certificat de naissance que j'ai découvert après et qui n'était en fait pas le mien, lié à cet instant où bien des années plus tard, j'ai ouvert cette boîte – et son destin –, et découvert ces papiers qui me disaient que j'avais un autre nom – raturé.

J'ai appris à lire entre les lignes. J'ai appris à voir l'envers de l'image.

À l'époque du monde Winterson, nous avions une série d'aquarelles victoriennes accrochées aux murs. Mrs W les avait héritées de sa mère et dans un esprit familial, voulait les exhiber. Mais étant farouchement opposée aux « images gravées » (cf. Exode, Lévitique, Deutéronome, etc.), elle a résolu ce problème insoluble en les accrochant face contre mur. N'étaient plus visibles que le papier kraft, le scotch, les punaises en fer, les taches d'humidité et la ficelle. C'était la vie selon Mrs Winterson.

« J'ai commandé tes livres à la bibliothèque avant que tu ne m'envoies quoi que ce soit, m'a expliqué Ann. J'ai dit à la bibliothécaire : "C'est ma fille." Elle a répondu : "Comment ? C'est pour votre fille ?" et j'ai rétorqué : "Non ! Jeanette Winterson est ma fille." J'étais fière. »

Cabine téléphonique 1985. Mrs Winterson, furieuse, son foulard sur la tête.

Bip-bip... veuillez insérer des pièces dans l'appareil... et je pense : « Pourquoi n'es-tu pas fière de moi ? »

Bip-bip... veuillez insérer des pièces dans l'appareil... « C'est la première fois que je dois commander un livre sous un faux nom. »

Les fins heureuses ne sont qu'une pause. Il y a trois types de grandes fins : la Vengeance, la Tragédie, le Pardon. Vengeance et Tragédie vont souvent de pair. Le Pardon rachète le passé. Le Pardon ouvre sur l'avenir.

Ma mère a essayé de me sauver de son propre naufrage et jamais elle n'aurait pu imaginer dans quel lieu improbable j'ai atterri.

Je suis là, quittant son corps, quittant la seule chose que je connaisse et je rejoue ce départ encore et encore jusqu'à ce que ce soit mon propre corps que j'essaye de quitter, la dernière possibilité de fuite qu'il me reste. Mais il y a eu le pardon.

Je suis là.

Je ne pars plus.

Je suis chez moi.

Coda

En me lançant dans l'écriture de ce livre, je n'avais aucune idée du tour qu'il prendrait. J'écrivais en temps réel. J'écrivais le passé tout en découvrant l'avenir.

Je ne savais pas ce que cela me ferait de retrouver ma mère. Je ne le sais toujours pas. En revanche, je sais que les retrouvailles comme on en voit à la télévision, baignées de nuages roses du bonheur, ont tout faux. Nous avons besoin de meilleures histoires pour raconter l'adoption.

Beaucoup de gens sont déçus au moment de retrouver leur famille biologique. Beaucoup regrettent. Beaucoup d'autres ne se lancent pas dans la recherche de peur de ce qu'ils pourraient découvrir. Ils ont peur de ce qu'ils pourraient ressentir – ou pire, ne pas ressentir.

J'ai revu Ann à Manchester, nous avons déjeuné en tête à tête. Cela m'a fait plaisir de la voir. Elle a ma démarche rapide et observe le monde qui l'entoure à la manière d'un chien, intelligente, alerte et vigilante. Ça aussi, c'est moi.

Elle m'a parlé un peu plus de mon père. Il voulait me garder. Elle a dit : « Moi je ne voulais pas. Nous étions pauvres mais nous avions du parquet. »

J'aime cette remarque, elle me fait rire.

Ensuite, elle m'a expliqué qu'elle avait travaillé dans une

usine non loin de là. L'entreprise, dirigée par des Juifs, s'appelait Raffles et confectionnait des manteaux et des gabardines pour Marks & Spencer. « À cette époque, on fabriquait encore tout en Grande-Bretagne, et la qualité était excellente. »

Elle me raconte qu'il y avait tellement de tailleurs et le tissu était si bon marché que tout le monde, pauvre ou non, avec ou sans parquet, portait des vêtements sur mesure. Manchester était encore la reine du textile.

Son patron, le vieux Raffles, lui a trouvé le foyer pour mères célibataires et lui a promis qu'elle récupérerait son travail à son retour.

Cette histoire m'a beaucoup intriguée parce que je me suis toujours sentie chez moi parmi les Juifs et que beaucoup de mes amis sont juifs.

« Je suis revenue à Manchester pour te présenter aux autres et te faire prendre en photo quand tu avais trois semaines. C'est celle que je t'ai envoyée. »

Oui, celle avec le bébé qui a une tête de : « Oh non, pas ça. »

Je ne m'en souviens pas mais en réalité, nous gardons tout en mémoire.

Ann a beaucoup oublié. La perte de mémoire est une façon de gérer les dégâts de l'existence. Moi, je dors. Quand je suis bouleversée, je peux m'endormir en une fraction de seconde. J'ai dû me forger seule cette stratégie de survie face à Mrs Winterson. Je pouvais dormir sur le pas de la porte ou dans la réserve à charbon. Ann dit qu'elle a toujours eu le sommeil léger.

À la fin du déjeuner, il faut que je m'en aille sinon je risque de m'endormir à table. Ce n'est pas dû à l'ennui. Aussitôt dans le train, je sombre dans le sommeil. Il se passe donc encore bien des choses que je ne comprends pas.

Je crois qu'Ann a du mal à me cerner.

Je crois qu'elle voudrait que je la laisse être ma mère. Je crois qu'elle voudrait que nous soyons plus souvent en contact. Mais quoi que soit l'adoption, ce n'est pas la formation d'une famille instantanée – ni avec les parents adoptifs, ni avec les parents biologiques retrouvés.

J'ai grandi comme dans tous ces romans de Dickens où la vraie famille est celle qu'on s'invente ; ces gens avec qui se nouent, dans la durée, des liens d'affection profonds deviennent votre famille.

Elle m'observe avec tant d'attention au moment de nous dire au revoir.

Je suis chaleureuse mais je suis prudente.

Quelle est la raison de cette prudence ? Quel en est l'objet ? Je ne sais pas.

Il y a ce gouffre entre nos vies. Elle est encore troublée par le monde Winterson. Elle dit que c'est de sa faute, que c'est de la faute de Mrs Winterson. Mais je préfère ce moi – celui que je suis devenue – à celui que j'aurais pu devenir sans les livres, sans les études, sans tout ce qui m'est arrivé au cours des années, et sans Mrs W. Je pense que j'ai de la chance.

Comment lui exprimer cela sans rejeter ni sous-évaluer ces choses ?

Je ne sais pas non plus ce que j'éprouve pour elle. Je panique chaque fois que mes sentiments ne sont pas clairs. C'est comme si face à un étang boueux, je préférerais l'assécher plutôt que d'attendre qu'un écosystème s'y développe et purifie l'eau.

Ce n'est pas un écart entre la tête et le cœur, ou entre la pensée et les sentiments. C'est une matrice émotionnelle. Je peux facilement jongler avec des idées ou des réalités différentes et contradictoires. Mais je déteste éprouver plusieurs choses à la fois.

L'adoption est tant de choses à la fois. Elle est tout et rien. Ann est ma mère. Mais elle est également cette personne que je ne connais pas du tout.

J'essaye d'éviter de recourir à la dualité ridicule du : « Ça compte tellement pour moi/Ça ne compte pas du tout pour moi ». J'essaye de respecter ma complexité. Il me fallait connaître l'histoire de mes débuts dans le monde, mais je dois accepter qu'il ne s'agisse que d'une version. Cette histoire est véridique, mais elle n'en reste pas moins une version parmi d'autres.

Je sais qu'Ann et Linda veulent m'intégrer à leur famille, c'est la preuve de leur générosité. Je refuse qu'on m'intègre, ce n'est pas la preuve de mon insensibilité. Je suis si heureuse de savoir qu'elle est en vie et à l'abri du besoin. J'aime l'imaginer entourée de ses proches. Mais je ne veux pas me trouver auprès d'elle. Ce n'est pas le plus important à mes yeux. Et je ne sens pas de connexion biologique. Je ne me dis pas : « Ouah, c'est ma mère. »

J'ai lu beaucoup de récits de retrouvailles débordant d'émotion. Aucun ne correspond à mon expérience. Ma seule certitude, c'est que je suis contente – c'est le bon mot – que ma mère soit à l'abri du besoin.

Je ne peux pas être la fille qu'elle veut que je sois.

Je ne pouvais pas être la fille que voulait Mrs Winterson.

Mes amis qui ne connaissent pas l'adoption me disent de ne pas m'inquiéter. Eux non plus n'avaient pas l'impression d'être des enfants « parfaits ».

L'inné et l'acquis m'intéressent. J'ai remarqué que je déteste entendre Ann critiquer Mrs Winterson. C'était un monstre, mais elle était mon monstre à moi.

Ann est venue à Londres. Une erreur. C'était notre troisième rencontre et nous avons eu une violente dispute. Je lui ai hurlé dessus. « Au moins, Mrs Winterson était là. Où étais-tu, toi ? »

Je ne lui en veux pas et je suis heureuse qu'elle ait fait ce choix. Mais de toute évidence, je suis également furieuse.

Il faut que je parvienne à réconcilier ces contradictions et que je les éprouve toutes/séparément.

Dans sa jeunesse, Ann n'a pas reçu beaucoup d'amour. « Maman n'avait pas le temps de se montrer tendre. Elle nous aimait en nous donnant de quoi manger et nous vêtir. »

Alors que sa mère était déjà extrêmement âgée, Ann a trouvé le courage de lui demander : « Maman, est-ce que tu m'as aimée ? » Sa mère a été très claire. « Oui. Je t'aime. Maintenant, ne me pose plus cette question. »

L'amour. Le mot difficile. Où tout commence, où tout revient toujours. L'amour. Le manque d'amour. La possibilité de l'amour.

Je n'ai aucune idée de ce qui va se passer ensuite.

Tout mon amour et ma gratitude à Susie Orbach.

Merci également à Paul Shearer qui a recréé l'arbre généalogique familial. Merci à Beeban Kidron et son service d'assistance téléphonique ! À Vicky Licorish et aux enfants : ma famille. À tous mes amis qui m'ont soutenue. À Caroline Michel – un agent fantastique et une amie formidable. À tous ceux chez Jonathan Cape et Vintage qui croient en ce livre – et plus particulièrement Rachel Cugnoni et Dan Franklin.

Citations

Emily Dickinson, *Poésies complètes*, Flammarion, 2009. Trad. Françoise Delphy.

S. T. Coleridge, « Emprisonné sous ce tilleul en charmille », *Coleridge*, Seghers, 1963. Trad. G. d'Hangest.

S. T. Coleridge, « Découragement : une ode », Gallimard, 2007. Trad. Jacques Darras.

John Donne, *Méditations en temps de crise*, Rivages, 2002. Trad. Franck Lemonde.

T. S. Eliot, *Meurtre dans la cathédrale*, Éditions Rombaldi, 1971. Trad. Henri Fluchère.

T. S. Eliot, *Quatre Quatuors*, Le Seuil, 1976. Trad. Pierre Leyris.

Friedrich Engels, *La Situation de la classe laborieuse en Angleterre*, Éditions sociales. Trad. Gilbert Badia et Jean Frederic.

Andrew Marvell, *Les Yeux et les larmes et autres poèmes*, Orphée/La Différence, 1994. Trad. Gérard Gacon.

Thomas Hardy, *Cent poèmes*, Éditions de l'Aire, 2008. Trad. Éric Christen et François Baud.

Wilfred Owen, *Et chaque lent crépuscule*, Le Castor Astral,

2001. Trad. Barthélemy Dussert avec la collaboration de Xavier Hanotte.

William Shakespeare, *Le Conte d'hiver*, Robert Laffont, coll. « Bouquins », 2002. Trad. Louis Lecocq.

Réalisation : Nord Compo à Villeneuve-d'Ascq
Impression : CPI Firmin Didot au Mesnil-sur-l'Estrée
Dépôt légal : mai 2012 N° 870 (110871)
Imprimé en France